PAULO COELHO

VERONIKA DECIDE MORRER

OBJETIVA

©1998 by Paulo Coelho

Direitos em língua portuguesa para o Brasil adquiridos ao autor
por EDITORA OBJETIVA LTDA.,
rua Cosme Velho, 103
Rio de Janeiro – RJ – CEP: 22241-090
Tel.: (021) 556-7824 – Fax: (021) 556-3322
INTERNET: http://www.objetiva.com

Concepção da Capa
Christina Oiticica

Design da Capa
Helena de Barros

Ilustração da Capa
La cura della follia – Hieronymus Bosch
©Museu do Prado – Madri – Direitos Reservados.
Proibida a Reprodução Total ou Parcial

©Foto da 4ª Capa
Keystone – Rio

Revisão
Tereza de Fátima da Rocha
Izabel Cristina Aleixo

Editoração Eletrônica
Abreu's System Ltda.

Paulo Coelho: http://www.paulocoelho.com.br

CIP-BRASIL. CATALOGAÇÃO-NA-FONTE
SINDICATO NACIONAL DOS EDITORES DE LIVROS, RJ.

C619v

Coelho, Paulo, 1947–
    Veronika decide morrer / Paulo Coelho. – Rio de Janeiro : Objetiva, 1998
    240p.

    ISBN 85-7302-201-9

    1. Romance brasileiro. I. Título.

98-0894.   CDD 869.93
                                                  CDU 869.0(81)-3

*"Eis que vos dei
o poder de pisar serpentes... e nada
poderá vos causar dano."*

Lucas, 10:19

Para S. T. de L.,
que começou a me ajudar sem que eu soubesse.

No dia 11 de novembro de 1997, Veronika decidiu que havia — afinal! — chegado o momento de se matar. Limpou cuidadosamente seu quarto alugado num convento de freiras, desligou a calefação, escovou os dentes e deitou-se.

Na mesa-de-cabeceira, pegou as quatro caixas de comprimidos para dormir. Ao invés de amassá-los e misturar com água, resolveu tomá-los um a um, já que existe uma grande distância entre a intenção e o ato, e ela queria estar livre para arrepender-se no meio do caminho. Entretanto, a cada comprimido que engolia, sentia-se mais convencida: no final de cinco minutos, as caixas estavam vazias.

Como não sabia exatamente quanto tempo ia demorar para perder a consciência, deixara em cima da cama uma revista francesa *Homme*, edição daquele mês, recém-chegada na biblioteca onde trabalhava. Embora não tivesse nenhum interesse especial por informática, ao folhear a revista descobrira um artigo sobre um jogo de computador (CD-Rom, como cha-mavam) criado por Paulo Coelho, um escritor brasi-leiro que tivera oportunidade de conhecer numa con-ferência no café do hotel Grand Union. Os dois

7

haviam trocado algumas palavras, e ela terminara sendo convidada por seu editor para jantar. Mas o grupo era grande, e não houve possibilidade de aprofundar nenhum assunto.

O fato de haver conhecido o autor, porém, levava-a a pensar que ele era parte do seu mundo, e ler uma matéria sobre seu trabalho podia ajudar a passar o tempo. Enquanto esperava a morte, Veronika começou a ler sobre informática, um assunto pelo qual não tinha o mínimo interesse — e isto combinava com tudo o que fizera a vida inteira, sempre procurando o que estava mais fácil, ou ao alcance da mão. Como aquela revista, por exemplo.

Para sua surpresa, porém, a primeira linha do texto tirou-a de sua passividade natural (os calmantes ainda não tinham dissolvido em seu estômago, mas Veronika já era passiva por natureza), e fez com que, pela primeira vez em sua vida, considerasse como verdadeira uma frase que estava muito em moda entre seus amigos: "nada neste mundo acontece por acaso".

Por que aquela primeira linha, justamente num momento em que havia começado a morrer? Qual a mensagem oculta que tinha diante dos seus olhos, se é que existem mensagens ocultas ao invés de coincidências?

Embaixo de uma ilustração do tal jogo de computador, o jornalista começava sua matéria perguntando:

"Onde é a Eslovênia?"

"Ninguém sabe onde é a Eslovênia", pensou. "Nem isso."

Mas a Eslovênia mesmo assim existia, e estava lá fora, lá dentro, nas montanhas a sua volta e na praça diante dos seus olhos: a Eslovênia era seu país.

Deixou a revista de lado, não lhe interessava agora ficar indignada com um mundo que ignorava por completo a existência dos eslovenos; a honra de sua nação não lhe dizia mais respeito. Era hora de ter orgulho de si mesma, saber que fora capaz, finalmente tivera coragem, estava deixando esta vida: que alegria! E estava fazendo isso da maneira com que sempre sonhara — através de comprimidos, que não deixam marcas.

Veronika procurara pelos comprimidos por quase seis meses. Achando que nunca iria consegui-los, chegara a considerar a possibilidade de cortar os pulsos. Mesmo sabendo que ia terminar enchendo o quarto de sangue, deixando as freiras confusas e preocupadas, um suicídio exige que as pessoas pensem primeiro em si mesmas, e depois nos outros. Estava disposta a fazer todo o possível para que sua morte não causasse muito transtorno, mas se cortar os pulsos fosse a única possibilidade, então não havia jeito — e as freiras que limpassem o quarto, e esquecessem logo a história, senão teriam dificuldades de alugá-lo de novo. Afinal de contas, mesmo no final do século XX, as pessoas ainda acreditavam em fantasmas.

É claro que ela também podia atirar-se de um dos poucos prédios altos de Lubljana, mas e o sofrimento extra que tal atitude terminaria causando aos seus pais? Além do choque de descobrir que a filha morrera, ainda seriam obrigados a identificar um corpo desfigurado: não, esta era uma solução pior do que sangrar até morrer, pois deixaria marcas indeléveis em duas pessoas que só queriam o seu bem.

"Com a morte da filha eles terminarão se acostumando. Mas um crânio esmagado deve ser impossível de esquecer."

Tiros, quedas de prédio, enforcamento, nada disso combinava com sua natureza feminina. As mulheres, quando se matam, escolhem meios muito mais românticos — como cortar os pulsos, ou tomar uma dose excessiva de comprimidos para dormir. As princesas abandonadas e as atrizes de Hollywood deram diversos exemplos a este respeito.

Veronika sabia que a vida era uma questão de esperar sempre a hora certa para agir. E assim foi: dois amigos seus, sensibilizados com suas queixas de que não conseguia mais dormir, arranjaram — cada um — duas caixas de uma droga poderosa, que era utilizada por músicos de uma boate local. Veronika deixou as quatro caixas na sua mesa-de-cabeceira durante uma semana, namorando a morte que se aproximava, e despedindo-se — sem qualquer sentimentalismo — daquilo que chamavam Vida.

Agora estava ali, contente de ter ido até o final, e entediada porque não sabia o que fazer com o pouco tempo que lhe restava.

Voltou a pensar no absurdo que acabara de ler: como é que um artigo sobre computador pode começar com esta frase tão idiota: "Onde é a Eslovênia?"

Como não achou nada mais interessante para preocupar-se, resolveu ler a matéria até o fim, e descobriu: o tal jogo tinha sido produzido na Eslovênia — este estranho país que ninguém parecia saber onde era, exceto quem morava ali — por causa da mão-de-obra

mais barata. Há alguns meses atrás, ao lançar o produto, a produtora francesa dera uma festa para jornalistas de todo o mundo, num castelo em Vled.

Veronika lembrou-se de ter escutado algo a respeito da festa, que fora um acontecimento especial na cidade: não apenas pelo fato do castelo ter sido redecorado para aproximar-se ao máximo do ambiente medieval do tal CD-Rom, como também pela polêmica que se seguira na imprensa local: havia jornalistas alemães, franceses, ingleses, italianos, espanhóis — mas nenhum esloveno tinha sido convidado.

O articulista de *Homme* — que viera à Eslovênia pela primeira vez, certamente com tudo pago, e decidido a passar o seu tempo cortejando outros jornalistas, dizendo coisas supostamente interessantes, comendo e bebendo de graça no castelo — resolvera começar a matéria fazendo uma piada que devia agradar muito aos sofisticados intelectuais do seu país. Deve, inclusive, ter contado aos seus amigos de redação algumas histórias inverídicas sobre os costumes locais, ou sobre a maneira rudimentar como as mulheres eslovenas se vestem.

Problema dele. Veronika estava morrendo, e suas preocupações deviam ser outras, como saber se existe vida após a morte, ou a que horas o seu corpo seria encontrado. Mesmo assim — ou talvez justamente por causa disso, da importante decisão que tomara — aquele artigo a estava incomodando.

Olhou pela janela do convento que dava para a pequena praça de Lubljana. "Se não sabem onde é a Eslovênia, Lubljana deve ser um mito", pensou. Como

a Atlântida, ou a Lemuria, ou os continentes perdidos que povoam a imaginação dos homens. Ninguém começaria um artigo, em nenhum lugar do mundo perguntando onde era o monte Everest, mesmo que nunca tivesse estado lá. No entanto, em plena Europa, um jornalista de uma revista importante não se envergonhava em fazer uma pergunta daquelas, porque sabia que a maior parte dos seus leitores desconhecia onde era a Eslovênia. E mais ainda Lubljana, sua capital.

Foi então que Veronika descobriu uma maneira de passar o tempo — já que dez minutos haviam transcorrido, e ainda não notara qualquer diferença em seu organismo. O último ato de sua vida ia ser uma carta para aquela revista, explicando que a Eslovênia era uma das cinco repúblicas resultantes da divisão da antiga Iugoslávia.

Deixaria a carta como seu bilhete de suicídio. De resto, não daria nenhuma explicação sobre os verdadeiros motivos de sua morte.

Quando encontrassem seu corpo, concluiriam que se matou porque uma revista não sabia onde era o seu país. Riu com a idéia de ver uma polêmica nos jornais, com gente a favor e contra seu suicídio em honra da causa nacional. E ficou impressionada com a rapidez com que mudara de idéia, já que momentos antes pensara exatamente o oposto — o mundo e os problemas geográficos já não lhe diziam respeito.

Escreveu a carta. O momento de bom humor fez com que quase tivesse outros pensamentos a respeito

da necessidade de morrer, mas já havia tomado os comprimidos, era tarde demais para voltar.

De qualquer maneira, já tivera momentos de bom humor como esse, e não estava se matando porque era uma mulher triste, amarga, vivendo em constante depressão. Passara muitas tardes de sua vida caminhando, alegre, pelas ruas de Lubljana, ou olhando — da janela do seu quarto no convento — a neve que caía na pequena praça com a estátua do poeta. Certa vez ficara quase um mês flutuando nas nuvens, porque um homem desconhecido, no centro daquela mesma praça, lhe dera uma flor.

Acreditava ser uma pessoa absolutamente normal. Sua decisão de morrer devia-se a duas razões muito simples, e tinha certeza de que, se deixasse um bilhete explicando, muita gente ia concordar com ela.

A primeira razão: tudo em sua vida era igual, e — uma vez passada a juventude — era decadência, a velhice começando a deixar marcas irreversíveis, as doenças chegando, os amigos partindo. Enfim, continuar vivendo não acrescentava nada; ao contrário, as possibilidades de sofrimento aumentavam muito.

A segunda razão era mais filosófica: Veronika lia jornais, assistia TV, e estava a par do que se passava no mundo. Tudo estava errado, e ela não tinha como consertar aquela situação — o que lhe dava uma sensação de inutilidade total.

Daqui a pouco, porém, teria a última experiência de sua vida, e esta prometia ser muito diferente: a morte. Escreveu a tal carta para a revista, deixou o assunto de lado, concentrou-se em coisas mais impor-

tantes e mais próprias para o que estava vivendo — ou morrendo — naquele minuto.

Procurou imaginar como seria morrer, mas não conseguiu chegar a nenhum resultado.

De qualquer maneira, não precisava se importar com isso, pois saberia daqui a poucos minutos.

Quantos minutos?

Não tinha idéia. Mas deliciava-se com o fato de que ia conhecer a resposta para o que todos se perguntavam: Deus existe?

Ao contrário de muita gente, esta não fora a grande discussão interior de sua vida. No antigo regime comunista, a educação oficial dizia que a vida acabava com a morte, e ela terminou se acostumando com a idéia. Por outro lado, a geração dos seus pais e de seus avós ainda freqüentava a igreja, fazia orações e peregrinações, e tinha a mais absoluta convicção que Deus prestava atenção no que diziam.

Aos 24 anos, depois de ter vivido tudo que lhe fora permitido viver — e olha que não foi pouca coisa! — Veronika tinha quase certeza de que tudo acabava com a morte. Por isso escolhera o suicídio: liberdade, enfim. Esquecimento para sempre.

No fundo do seu coração, porém, restava a dúvida: e se Deus existe? Milhares de anos de civilização faziam do suicídio um tabu, uma afronta a todos os códigos religiosos: o homem luta para sobreviver, e não para entregar-se. A raça humana deve procriar. A sociedade precisa de mão-de-obra. Um casal necessita uma razão para continuar junto, mesmo depois que o amor deixou de existir, e um país precisa de soldados, políticos e artistas.

"Se Deus existe, o que eu sinceramente não acredito, entenderá que há um limite para a compreensão humana. Foi Ele quem criou esta confusão, onde há miséria, injustiça, ganância, solidão. Sua intenção deve ter sido ótima, mas os resultados são nulos; se Deus existe, Ele será generoso com as criaturas que desejaram ir embora mais cedo desta Terra, e pode até mesmo pedir desculpas por nos ter obrigado a passar por aqui."

Que se danassem os tabus e superstições. Sua religiosa mãe dizia: Deus sabe o passado, o presente e o futuro. Neste caso, já lhe havia colocado neste mundo com plena consciência de que ela terminaria por se matar, e não iria ficar chocado com seu gesto.

Veronika começou a sentir um leve enjôo, que foi crescendo rapidamente.

Em poucos minutos, já não podia mais concentrar-se na praça do lado de fora de sua janela. Sabia que era inverno, devia ser em torno de quatro horas da tarde, e o sol estava se pondo rápido. Sabia que outras pessoas continuariam vivendo; neste momento um rapaz passava diante de sua janela, e a viu, sem entretanto ter a menor idéia de que ela estava prestes a morrer. Um grupo de músicos bolivianos (onde é a Bolívia? Por que os artigos de revistas não perguntam isso?) tocava diante da estátua de France Prešeren, o grande poeta esloveno, que marcara profundamente a alma do seu povo.

Será que conseguiria escutar até o fim a música que vinha da praça? Seria uma bela recordação desta vida: o entardecer, a melodia que contava os sonhos do outro lado do mundo, o quarto aquecido e acon-

chegante, o rapaz bonito e cheio de vida que passava, resolvera parar, e agora a encarava. Como percebia que o remédio já estava fazendo efeito, era a última pessoa que a estava vendo.

Ele sorriu. Ela retribuiu o sorriso — não tinha nada a perder. Ele acenou; ela resolveu fingir que estava olhando outra coisa, afinal o rapaz estava querendo ir longe demais. Desconcertado, ele continuou seu caminho, esquecendo para sempre aquele rosto na janela.

Mas Veronika ficou contente de, mais uma vez, ter sido desejada. Não era por ausência de amor que estava se matando. Não era por falta de carinho de sua família, nem problemas financeiros, ou por uma doença incurável.

Veronika decidira morrer naquela tarde bonita de Lubljana, com músicos bolivianos tocando na praça, com um jovem passando diante da sua janela, e estava contente com o que os seus olhos viam e seus ouvidos escutavam. Mais contente ainda estava, por não ter que ficar vendo aquelas mesmas coisas por mais trinta, quarenta, ou cinqüenta anos — pois iam perder toda a sua originalidade, e se transformar na tragédia de uma vida onde tudo se repete, e o dia anterior é sempre igual ao seguinte.

O estômago, agora, começava a dar voltas, e ela sentia-se muito mal. "Engraçado, pensei que uma dose excessiva de calmantes me faria dormir imediatamente." Mas o que estava acontecendo era um estranho zumbido nos ouvidos, e a sensação de vômito.

"Se vomitar, não morro."

Decidiu esquecer as cólicas, procurando concentrar-se na noite que caía com rapidez, nos bolivianos, nas pessoas que começavam a fechar suas lojas e sair. O barulho no ouvido tornava-se cada vez mais agudo, e — pela primeira vez desde que tomara os comprimidos, Veronika sentiu medo, um medo terrível do desconhecido.

Mas foi rápido. Logo perdeu a consciência.

Quando abriu os olhos, Veronika não pensou: "isso deve ser o céu". O céu jamais utilizaria uma lâmpada fluorescente para iluminar o ambiente, e a dor — que apareceu uma fração de segundo depois — era típica da Terra. Ah, esta dor da Terra — ela é única, não pode ser confundida com nada.

Quis mexer-se, e a dor aumentou. Uma série de pontos luminosos apareceram, e mesmo assim Veronika continuou entendendo que aqueles pontos não eram estrelas do Paraíso, mas consequências do seu intenso sofrimento.

— Recuperou a consciência — escutou uma voz de mulher. — Agora você está com os dois pés no inferno, aproveite.

Não, não podia ser, aquela voz a estava enganando. Não era o inferno — porque sentia muito frio, e notara que tubos plásticos saíam da sua boca e do nariz. Um destes tubos — o que estava enfiado por sua garganta abaixo — lhe dava a sensação de sufocamento.

Quis mexer-se para retirá-lo, mas os braços estavam amarrados.

— Estou brincando, não é o inferno — continuou a voz. — É pior que o inferno onde, aliás, eu nunca estive. É Villete.

Apesar da dor e da sensação de sufocamento, Veronika — numa fração de segundo — entendeu o que havia acontecido. Tentara o suicídio, e alguém chegara a tempo para salvá-la. Podia ter sido uma freira, uma amiga que resolvera aparecer sem avisar, alguém que se lembrara de entregar algo que ela já esquecera haver pedido. O fato é que tinha sobrevivido, e estava em Villete.

Villete, o famoso e temido asilo de loucos, que existia desde 1991, ano da independência do país. Naquela época, acreditando que a divisão da antiga Iugoslávia se daria através de meios pacíficos (afinal, a Eslovênia enfrentara apenas onze dias de guerra), um grupo de empresários europeus conseguiu licença para instalar um hospital de doenças mentais num antigo quartel, abandonado por causa dos altos custos de manutenção.

Aos poucos, porém, as guerras começaram: primeiro a Croácia, depois a Bósnia. Os empresários ficaram preocupados: o dinheiro para o investimento viera de capitalistas espalhados por diversas partes do mundo, cujos nomes nem sabiam — de modo que era impossível sentar-se diante deles, dar algumas desculpas, pedir que tivessem paciência. Resolveram o problema adotando práticas nada recomendáveis para um asilo psiquiátrico, e Villete passou a simbolizar — para a jovem nação que acabara de sair de um comunismo tolerante — o que havia de pior no capitalismo: bastava pagar para se conseguir uma vaga.

Muitas pessoas, quando queriam livrar-se de algum membro da família por causa de discussões sobre

herança (ou comportamento inconveniente), gastavam uma fortuna — e conseguiam um atestado médico que permitia a internação dos filhos ou pais criadores de problemas. Outros, para fugir de dívidas, ou justificar certas atitudes que podiam resultar em longos termos de prisão, passavam algum tempo no asilo e saíam livres de qualquer cobrança ou processo judicial.

Villete, o lugar de onde ninguém jamais havia fugido. Que misturava os verdadeiros loucos — enviados ali pela justiça, ou por outros hospitais — com aqueles que eram acusados de loucura, ou fingiam insanidade. O resultado era uma verdadeira confusão, e a imprensa a toda hora publicava histórias de maus-tratos e abusos, embora jamais tivesse permissão de entrar e ver o que estava acontecendo. O governo investigava as denúncias, não conseguia provas, os acionistas ameaçavam espalhar que era difícil fazer investimentos externos ali, e a instituição conseguia manter-se de pé, cada vez mais forte.

— Minha tia suicidou-se há alguns meses — continuou a voz feminina. — Ela passou quase oito anos sem vontade de sair do quarto, comendo, engordando, fumando, tomando calmantes, e dormindo a maior parte do tempo. Tinha duas filhas e um marido que a amava.

Veronika tentou mover sua cabeça na direção da voz, mas era impossível.

— Só a vi reagir uma única vez: quando o marido arranjou uma amante. Então ela fez escândalos, perdeu alguns quilos, quebrou copos e — por semanas inteiras — não deixava a vizinhança dormir com seus gritos. Por mais absurdo que pareça, acho que foi sua época mais feliz: estava lutando por alguma coisa, sentia-se viva e capaz de reagir ao desafio que se colocava diante dela.

"O que eu tenho a ver com isso?", pensava Veronika, incapaz de dizer algo. "Eu não sou sua tia, não tenho marido!"

— O marido terminou largando a amante — continuou a mulher. — Minha tia, pouco a pouco, voltou a sua passividade habitual. Um dia, me telefonou dizendo que estava disposta a mudar de vida: parara de fumar. Na mesma semana, depois de aumentar o número de calmantes por causa da ausência do cigarro, avisou a todos que estava disposta a se matar.

"Ninguém acreditou. Certa manhã, ela me deixou um recado na secretária eletrônica, despedindo-se, e matou-se com gás. Eu ouvi esta mensagem várias vezes: nunca escutara sua voz tão tranqüila, conformada com o próprio destino. Dizia que não era nem feliz nem infeliz, e por isso não agüentava mais."

Veronika sentiu compaixão pela mulher que contava a história, e que parecia tentar compreender a morte da tia. Como julgar — num mundo onde se tenta sobreviver a qualquer custo — aquelas pessoas que decidem morrer?

Ninguém pode julgar. Cada um sabe a dimensão do próprio sofrimento, ou da ausência total de sentido de sua vida. Veronika queria explicar isso, mas o tubo em sua boca fez com que engasgasse, e a mulher veio ajudá-la.

Viu-a debruçando-se sobre o seu corpo amarrado, entubado, protegido contra a sua vontade e o seu livre-arbítrio de destruí-lo. Mexeu de um lado para o outro com a cabeça, implorando com seus olhos para que tirassem aquele tubo, e a deixassem morrer em paz.

— Você está nervosa — disse a mulher. — Não sei se está arrependida, ou se ainda quer morrer, mas isso não me interessa. O que me interessa é cumprir com minha função: no caso do paciente mostrar-se agitado, o regulamento exige que eu lhe aplique um sedativo.

Veronika parou de debater-se, mas a enfermeira já lhe aplicava uma injeção no braço. Em pouco tempo estava de volta a um mundo estranho, sem sonhos, onde a única coisa que se lembrava era o rosto da mulher que acabara de ver: olhos verdes, cabelo castanho, e um ar totalmente distante — de quem faz as coisas porque tem que fazer, sem jamais perguntar por que o regulamento manda isso ou aquilo.

Paulo Coelho soube da história de Veronika três meses depois, quando jantava num restaurante argelino em Paris com uma amiga eslovena, que também se chamava Veronika, e era filha do médico responsável por Villete.

Mais tarde, quando decidiu escrever um livro sobre o assunto, pensou em mudar o nome da Veronika, sua amiga — para não confundir o leitor. Pensou em chamá-la de Blaska, ou Edwina, ou Marietzja, ou qualquer outro nome esloveno, e terminou resolvendo que manteria os nomes reais. Quando se referisse à Veronika sua amiga, chamaria de Veronika, a amiga. Quanto à outra Veronika, não precisava adjetivá-la de nenhuma maneira, porque ela seria o personagem central do livro, e as pessoas ficariam aborrecidas de terem que ler sempre "Veronika, a louca", ou "Veronika, a que tentara cometer suicídio". De qualquer maneira, tanto ele como Veronika, a amiga, iam entrar na história em apenas um pequeno trecho — este aqui.

Veronika, a amiga, estava horrorizada com o que o seu pai tinha feito, principalmente levando-se em consideração que ele era o diretor de uma instituição que queria ser respeitada, e trabalhava em uma tese que precisava passar pelo exame de uma comunidade acadêmica convencional.

— Você sabe de onde vem a palavra "asilo"? — perguntava ela. — Vem da Idade Média, do direito que as pessoas tinham de buscar refúgio em igrejas, lugares sagrados. Direito de asilo, uma coisa que qualquer pessoa civilizada entende! Então, como é que meu pai, diretor de um asilo, pode agir desta maneira com alguém?

Paulo Coelho quis saber em detalhes tudo o que havia acontecido, porque tinha um excelente motivo para interessar-se pela história de Veronika.

E o motivo era o seguinte: ele fora internado num asilo — ou hospício, como era mais conhecido este tipo de hospital. E isto acontecera não apenas uma vez, mas três vezes — nos anos de 1965, 1966 e 1967. O lugar de sua internação fora a Casa de Saúde Dr. Eiras, no Rio de Janeiro.

A razão do seu internamento era, até hoje, estranha para ele mesmo; talvez os seus pais estivessem desnorteados com seu comportamento diferente, entre o tímido e o extrovertido, ou talvez fosse o seu desejo de ser "artista", algo que todos na família consideravam como a melhor maneira de viver na marginalidade, e morrer na miséria.

Quando pensava no fato — e, diga-se de passagem, raramente pensava nisso — ele atribuía a verdadeira loucura ao médico que aceitou colocá-lo num hospício, sem qualquer motivo concreto (como acontece em qualquer família, a tendência é sempre colocar a culpa nos outros, e afirmar de pés juntos que os pais não sabiam o que estavam fazendo, quando tomaram uma decisão tão drástica).

Paulo riu ao saber da estranha carta aos jornais que Veronika deixara, reclamando que uma importan-

te revista francesa nem sequer sabia onde era a Eslovênia.

— Ninguém se mata por isso.

— Por esta razão, a carta não deu nenhum resultado — disse, constrangida, Veronika, a amiga. — Ontem mesmo, ao me registrar no hotel, acharam que Eslovênia era uma cidade da Alemanha.

Era uma história muito familiar, pensou ele, já que muitos estrangeiros consideram a cidade argentina de Buenos Aires como capital do Brasil.

Mas, além do fato de viver num país que os estrangeiros, alegremente, vinham cumprimentá-lo pela beleza da capital (que ficava no país vizinho), Paulo Coelho tinha em comum com Veronika o fato que já foi descrito aqui, mas que é sempre bom relembrar: também fora internado num sanatório de doentes mentais, "de onde nunca devia ter saído", como comentara certa vez sua primeira mulher.

Mas saiu. E quando deixou a Casa de Saúde Dr. Eiras pela última vez, decidido a nunca mais voltar lá, ele fizera duas promessas: a) jurou que iria escrever sobre o tema; b) jurou esperar que seus pais morressem antes de tocar publicamente no assunto — porque ele não queria feri-los, já que os dois tinham passado muitos anos de suas vidas culpando-se pelo que fizeram.

Sua mãe morrera em 1993. Mas seu pai, que em 1997 completara 84 anos, apesar de ter enfisema pulmonar sem nunca haver fumado, apesar de alimentar-se de comida congelada porque não conseguia ter uma empregada que aturasse suas manias, continuava vivo, em pleno gozo de suas faculdades mentais e de sua saúde.

De modo que, ao ouvir a história de Veronika, ele descobriu uma maneira de falar sobre o tema, sem descumprir sua promessa. Embora nunca tivesse pensado em suicídio, conhecia intimamente o universo de um asilo — os tratamentos, as relações entre médicos e pacientes, o conforto e a angústia de estar num lugar como aquele.

Então deixemos Paulo Coelho e Veronika — a amiga — saírem definitivamente deste livro, e continuemos a história.

Veronika não sabe quanto tempo ficou dormindo. Lembrava-se de ter acordado em algum momento — ainda com os aparelhos de sobrevivência em sua boca e em seu nariz — ouvindo uma voz que dizia:

"Você quer que eu a masturbe?"

Mas agora, com os olhos bem abertos e olhando o quarto ao seu redor, não sabia se aquilo tinha sido real, ou uma alucinação. Além desta lembrança, não conseguia recordar nada, absolutamente nada.

Os tubos tinham sido retirados. Mas continuava com agulhas enfiadas por todo o corpo, fios conectados na área do coração e da cabeça, e os braços amarrados. Estava nua, coberta apenas por um lençol, e sentia frio — mas resolveu não reclamar. O pequeno ambiente, circundado por cortinas verdes, estava ocupado pelas máquinas da Unidade de Tratamento Intensivo, a cama onde estava deitada e uma cadeira branca — com uma enfermeira sentada entretida na leitura de um livro.

A mulher, desta vez, tinha olhos escuros e cabelos castanhos. Mesmo assim, Veronika ficou em dúvida se era a mesma pessoa com quem conversara horas — dias? — antes.

— Pode desamarrar meus braços?

A enfermeira levantou os olhos, respondeu com um seco "não", e voltou ao livro.

Estou viva, pensou Veronika. Vai começar tudo de novo. Devo passar algum tempo aqui dentro, até constatarem que sou perfeitamente normal. Depois me darão alta, e eu verei de novo as ruas de Lubljana, sua praça redonda, as pontes, as pessoas que passam pelas ruas indo e voltando do trabalho.

Como as pessoas sempre tendem a ajudar as outras — só para se sentirem melhores do que realmente são — eles me darão o emprego de volta na biblioteca. Com o tempo, voltarei a freqüentar os mesmos bares e boates, conversarei com os meus amigos sobre as injustiças e problemas do mundo, irei ao cinema, passearei no lago.

Como escolhi os comprimidos, não estou deformada: continuo jovem, bonita, inteligente, e não terei — como nunca tive — dificuldades em arranjar namorados. Farei amor com eles em suas casas, ou no bosque, terei um certo prazer, mas logo depois do orgasmo a sensação do vazio voltará. Já não teremos muito o que conversar, e tanto ele como eu sabemos disso: chega a hora de dar uma desculpa um para o outro — "está tarde", ou "amanhã tenho que acordar cedo" — e partiremos o mais rápido possível, evitando nos olharmos nos olhos.

Eu volto para o meu quarto alugado no convento. Tento ler um livro, ligo a TV para ver os mesmos programas de sempre, coloco o despertador para acordar exatamente na mesma hora que acordei no dia anterior, repito mecanicamente as tarefas que me são confiadas na biblioteca. Como o sanduíche no jardim em frente ao teatro, sentada no mesmo banco, junto

com outras pessoas que também escolhem os mesmos bancos para lanchar, que têm o mesmo olhar vazio, mas fingem estar preocupadas com coisas importantíssimas.

Depois volto ao trabalho, escuto alguns comentários sobre quem está saindo com quem, quem está sofrendo o que, como tal pessoa chorou por causa do marido — e fico com a sensação que sou privilegiada, sou bonita, tenho um emprego, arranjo o namorado que quiser. Aí volto aos bares no final do dia, e a coisa toda recomeça.

Minha mãe — que deverá estar preocupadíssima com minha tentativa de suicídio — vai se recuperar do susto e continuará me perguntando o que vou fazer de minha vida, por que não sou igual às outras pessoas, já que, afinal de contas, as coisas não são tão complicadas como eu penso que são. "Olhe para mim, por exemplo, que estou há anos casada com seu pai, e procurei lhe dar a melhor educação e os melhores exemplos possíveis."

Um dia eu me canso de ouvi-la sempre repetindo a mesma conversa, e para agradá-la me caso com um homem a quem me obrigo a amar. Eu e ele terminaremos encontrando uma maneira de sonhar juntos com o nosso futuro, a casa de campo, os filhos, o futuro dos nossos filhos. Faremos muito amor no primeiro ano, menos no segundo, e a partir do terceiro ano a gente talvez pense em sexo uma vez a cada quinze dias, e transforme este pensamento em ação apenas uma vez por mês. Pior que isso, a gente quase não conversará. Eu me forçarei a aceitar a situação, e me per-

guntarei o que há de errado comigo — já que não consigo mais interessá-lo, ele não presta atenção em mim, e vive falando dos seus amigos como se fossem realmente o seu mundo.

Quando o casamento estiver realmente por um fio, eu ficarei grávida. Teremos o filho, passaremos algum tempo mais próximos um do outro, e logo a situação voltará a ser como antes.

Então começarei a engordar como a tia da enfermeira de ontem — ou de dias atrás, não sei bem. E começarei a fazer regime, sistematicamente derrotada a cada dia, a cada semana, pelo peso que insiste em aumentar apesar de todo o controle. A esta altura, eu tomarei estas drogas mágicas para não entrar em depressão — e terei alguns filhos, em noites de amor que passam depressa demais. Direi a todos que os filhos são a razão de minha vida, mas na verdade eles exigem minha vida como razão.

As pessoas vão sempre nos considerar um casal feliz, e ninguém saberá o que existe de solidão, de amargura, de renúncia, atrás de toda aparência de felicidade.

Até que um dia, quando meu marido arranjar sua primeira amante, eu talvez faça um escândalo como a tia da enfermeira, ou pense de novo em me suicidar. Mas aí estarei velha e covarde, com dois ou três filhos que precisam de minha ajuda, e devo educá-los, colocá-los no mundo — antes de ser capaz de abandonar tudo. Eu não me suicidarei: farei um escândalo, ameaçarei sair com as crianças. Ele, como todo homem, recuará, dirá que me ama e que aquilo não vai mais se repetir. Nunca lhe passará pela cabeça que, se eu resolvesse mesmo ir embora, a única escolha seria

voltar para casa dos meus pais, e ficar ali o resto da minha vida, tendo que escutar todo dia a minha mãe lamentar-se porque eu perdi uma oportunidade única de ser feliz, que ele era um ótimo marido apesar de seus pequenos defeitos, que meus filhos irão sofrer muito por causa da separação.

Dois ou três anos depois, outra mulher aparecerá em sua vida. Eu vou descobrir — porque vi, ou porque alguém me contou — mas desta vez finjo que não sei. Gastei toda a minha energia lutando contra a amante anterior, não sobrou nada, é melhor aceitar a vida como ela é na realidade, e não como eu imaginava que fosse. Minha mãe tinha razão.

Ele continuará sendo gentil comigo, eu continuarei o meu trabalho na biblioteca, com os meus sanduíches na praça do teatro, os meus livros que nunca consigo terminar de ler, os programas de televisão que continuarão sendo os mesmos daqui a dez, vinte, cinqüenta anos.

Só que comerei os sanduíches com culpa, porque estou engordando; e não irei mais a bares, porque tenho um marido que me espera em casa para cuidar dos filhos.

A partir daí, é esperar os meninos crescerem, e ficar todo dia pensando no suicídio, sem coragem de cometê-lo. Um belo dia, chego à conclusão que a vida é assim, não adianta, nada mudará. E me conformo.

Veronika encerrou seu monólogo interior, e fez uma promessa a si mesma: não sairia de Villete com

vida. Era melhor acabar com tudo agora, enquanto ainda tinha coragem e saúde para morrer.

Dormiu e acordou várias vezes, notando que o número de aparelhos a sua volta diminuía, o calor de seu corpo aumentava, e as enfermeiras mudavam de rosto — mas sempre havia alguém ao lado dela. As cortinas verdes deixavam passar o som de alguém chorando, gemidos de dor, ou vozes que sussurravam coisas em tom calmo e técnico. De vez em quando um aparelho distante zumbia, e ela escutava passos apressados no corredor. Nestas horas, as vozes perdiam seu tom técnico e calmo, e passavam a ser tensas, dando ordens rápidas.

Num dos seus momentos de lucidez, uma enfermeira lhe perguntou:

— Você não quer saber o seu estado?

— Eu sei qual é — respondeu Veronika. — E não é o que você está vendo em meu corpo; é o que está acontecendo em minha alma.

A enfermeira ainda tentou conversar um pouco, mas Veronika fingiu que dormia.

Pela primeira vez, quando abriu os olhos, percebeu que havia mudado de lugar — estava no que parecia ser uma grande enfermaria. A agulha de um frasco de soro ainda continuava em seu braço — mas todos os outros fios e agulhas tinham sido retirados.

Um médico alto, com a tradicional roupa branca contrastando com os cabelos e bigode artificialmente tingidos de negro, encontrava-se de pé, em frente a sua cama. A seu lado, um jovem estagiário segurava uma prancheta, e tomava notas.

— Há quanto tempo estou aqui? — perguntou, notando que falava com uma certa dificuldade, sem conseguir pronunciar direito as palavras.

— Duas semanas neste quarto, depois de 5 dias na Unidade de Emergência — respondeu o mais velho. — E dê graças a Deus por ainda estar aqui.

O mais jovem pareceu surpreso, como se esta última frase não combinasse exatamente com a realidade. Veronika, de imediato, notou sua reação, e seus instintos se aguçaram: tinha ficado mais tempo? Ainda estava correndo algum risco? Começou a prestar atenção em cada gesto, cada movimento dos dois; sabia que era inútil fazer perguntas, eles jamais diriam a verdade — mas, se fosse esperta, podia entender o que estava acontecendo.

— Diga seu nome, endereço, estado civil e data do nascimento — continuou o mais velho.

Veronika sabia seu nome, seu estado civil e sua data de nascimento, mas reparou que havia espaços em branco em sua memória: ela não conseguia lembrar direito o endereço.

O médico colocou uma lanterna em seus olhos, e examinou-os prolongadamente, em silêncio. O mais jovem fez a mesma coisa. Os dois trocaram olhares, que não significavam absolutamente nada.

— Você disse para a enfermeira da noite que não sabíamos ver sua alma? — perguntou o mais moço.

Veronika não se lembrava. Tinha dificuldades em saber direito quem era, e o que estava fazendo ali.

— Você tem sido constantemente induzida ao sono através de calmantes, e isso pode afetar um pouco a sua memória. Por favor, tente responder tudo o que perguntarmos.

E os médicos começaram um questionário absurdo, querendo saber quais os jornais importantes em Lubljana, quem era o poeta cuja estátua está na praça principal (ah, aquilo ela não esqueceria nunca, todo esloveno traz a imagem de Prešeren gravada na alma), a cor do cabelo de sua mãe, o nome dos amigos de trabalho, os livros mais retirados da biblioteca.

No começo, Veronika cogitou não responder — sua memória continuava confusa. Mas, à medida que o questionário avançava, ela ia reconstruindo o que havia esquecido. Em determinado momento, lembrou-se que agora estava num hospício, e os loucos não têm nenhuma obrigação de serem coerentes; mas, para seu próprio bem, e para manter os médicos por perto, a fim de ver se conseguia descobrir algo mais a respeito

do seu estado, ela começou a fazer um esforço mental. À medida que citava os nomes e fatos, não recuperava apenas a memória — mas também sua personalidade, seus desejos, sua maneira de ver a vida. A idéia do suicídio, que naquela manhã parecia enterrada debaixo de várias camadas de sedativos, voltava novamente à tona.

— Está bem — disse o mais velho, no final do questionário.

— Quanto tempo ainda vou ficar aqui?

O mais moço abaixou os olhos, e ela sentiu que tudo ficara suspenso no ar, — como se, a partir da resposta para aquela pergunta, uma nova história de sua vida fosse escrita, e ninguém mais conseguisse modificá-la.

— Pode dizer — comentou o mais velho. — Muitos outros pacientes já ouviram os boatos, e ela vai terminar sabendo de qualquer jeito; é impossível ter segredos neste local.

— Bem, foi você quem determinou seu próprio destino — suspirou o moço, medindo cada palavra. — Então, saiba das conseqüências do seu ato: durante o coma provocado pelos narcóticos, seu coração foi irremediavelmente afetado. Houve uma necrose no ventríloquo...

— Seja mais simples — disse o mais velho. — Vá direto ao que interessa.

— O seu coração foi irremediavelmente afetado. E vai deixar de bater em breve.

— O que significa isso? — perguntou, assustada.

— O fato do coração deixar de bater significa apenas uma coisa: morte física. Não sei quais são suas crenças religiosas, mas...

— Em quanto tempo meu coração vai parar? — interrompeu Veronika.

— Cinco dias, uma semana no máximo.

Veronika se deu conta de que, por trás da aparência e do comportamento profissional, por trás do ar de preocupação, aquele rapaz estava tendo um imenso prazer no que dizia. Como se ela merecesse o castigo, e servisse de exemplo a todos os outros.

Durante toda a sua vida, Veronika percebera que um imenso grupo de pessoas que conhecia comentavam os horrores da vida alheia como se estivessem muito preocupados em ajudar — mas na verdade se compraziam com o sofrimento dos outros, porque isto os fazia crer que eram felizes, a vida tinha sido generosa com eles. Ela detestava este tipo de gente: não ia dar àquele rapaz nenhuma chance de se aproveitar do seu estado, para ocultar as suas próprias frustrações.

Manteve os olhos fixos nos dele. E sorriu.

— Então eu não falhei.

— Não — foi a resposta. Mas o seu prazer em dar notícias trágicas havia desaparecido.

Durante a noite, porém, começou a sentir medo. Uma coisa era a ação rápida dos comprimidos, outra era ficar esperando a morte por cinco dias, uma semana — depois de já se ter vivido tudo que era possível.

Passara a sua vida esperando sempre alguma coisa: o pai voltar do trabalho, a carta do namorado que não chegava, os exames do final do ano, o trem, o ônibus, o telefonema, o dia das férias, o final das férias. Agora precisava esperar a morte, que vinha com data marcada.

"Isso só podia acontecer comigo. Normalmente as pessoas morrem exatamente no dia em que acham que não vão morrer."

Tinha que sair dali, e arranjar novos comprimidos. Se não conseguisse, e a única solução fosse jogar-se do alto de um prédio em Lubljana, ela faria isso: tentara poupar os seus pais de sofrimento extra, mas agora não havia mais remédio.

Olhou a sua volta. Todos os leitos estavam ocupados, as pessoas dormiam, algumas roncavam forte. As janelas tinham grades. No final do dormitório, havia uma pequena luz acesa, enchendo o ambiente de

sombras estranhas, e permitindo que o local estivesse constantemente vigiado. Perto da luz, uma mulher lia um livro.

"Essas enfermeiras devem ser muito cultas. Vivem lendo."

A cama de Veronika era a mais afastada da porta — entre ela e a mulher havia quase vinte leitos. Levantou-se com dificuldade, porque — a acreditar no que dissera o médico — estava há quase três semanas sem caminhar. A enfermeira levantou os olhos, e viu a moça que se aproximava carregando seu frasco de soro.

— Quero ir ao banheiro — sussurrou, com medo de acordar as outras loucas.

A mulher, num gesto descuidado, apontou para uma porta. A mente de Veronika trabalhava rapidamente, buscando em todos os cantos uma saída, uma brecha, uma maneira de deixar aquele lugar. "Tem que ser rápido, enquanto acham que ainda estou frágil, incapaz de reagir."

Olhou cuidadosamente a sua volta. O banheiro era um cubículo sem porta. Se quisesse sair dali, teria que agarrar a vigilante e dominá-la para conseguir a chave — mas estava fraca demais para isso.

— Isso é uma prisão? — perguntou à vigilante, que tinha abandonado a leitura e agora acompanhava todos os seus movimentos.

— Não. Um hospício.

— Eu não sou louca.

A mulher riu.

— É exatamente o que todos dizem aqui.

— Está bem. Então sou louca. O que é um louco?

A mulher disse que Veronika não devia ficar muito tempo em pé, e mandou-a de volta para a sua cama.

— O que é um louco? — insistiu Veronika.

— Pergunte ao médico amanhã. E vá dormir ou terei — a contragosto — que lhe aplicar um calmante.

Veronika obedeceu. No caminho de volta, escutou alguém sussurrar de uma das camas:

"Você não sabe o que é um louco?"

Por um instante, ela pensou em não responder: não queria fazer amigos, desenvolver círculos sociais, arranjar aliados para uma grande sublevação em massa. Tinha apenas uma idéia fixa: morte. Se fosse impossível fugir, daria um jeito de se matar ali mesmo, o quanto antes possível.

Mas a mulher repetiu a mesma pergunta que ela fizera à vigilante.

— Você não sabe o que é um louco?

— Quem é você?

— Meu nome é Zedka. Vá até sua cama. Depois, quando a vigilante achar que você já está deitada, arraste-se pelo chão e venha até aqui.

Veronika voltou ao seu lugar, e esperou que a vigilante voltasse a se concentrar no livro. O que era um louco? Não tinha a menor idéia, porque esta palavra era empregada de uma maneira completamente anárquica: diziam, por exemplo, que certos esportistas eram loucos por desejarem quebrar recordes. Ou que os artistas eram loucos, pois viviam de uma maneira insegura, inesperada, diferente de todos os "normais". Por outro lado, Veronika já vira muita gente andando nas ruas de Lubljana, mal agasalhada durante o inverno, pregando o fim do mundo, empurrando carrinhos de supermercado cheios de sacolas e trapos.

Estava sem sono. Segundo o médico, dormira quase uma semana, tempo demais para quem estava

acostumado com uma vida sem grandes emoções, mas com horários rígidos de descanso. O que era um louco? Talvez fosse melhor perguntar para um deles.

Veronika agachou-se, tirou a agulha do seu braço, e foi até onde estava Zedka, tentando não dar importância ao estômago que começava a dar voltas; não sabia se o enjôo era resultado do seu coração enfraquecido, ou do esforço que estava fazendo.

— Não sei o que é um louco — sussurrou Veronika. — Mas eu não sou. Sou uma suicida frustrada.

— Louco é quem vive em seu mundo. Como os esquizofrênicos, os psicopatas, os maníacos. Ou seja, pessoas que são diferentes das outras.

— Como você?

— Entretanto — continuou Zedka, fingindo não ter escutado o comentário — você já deve ter ouvido falar de Einstein, dizendo que não havia tempo nem espaço, mas uma união dos dois. Ou Colombo, insistindo que do outro lado do mar não estava um abismo, e sim um continente. Ou de Edmond Hillary, garantindo que um homem podia chegar ao topo do Everest. Ou dos Beatles, que fizeram uma música diferente e se vestiram como pessoas totalmente fora de sua época. Todas estas pessoas — e milhares de outras — também viviam no seu mundo.

"Esta demente está dizendo coisas que fazem sentido", pensou Veronika, lembrando-se de histórias que sua mãe contava, sobre santos que garantiam falar com Jesus ou a Virgem Maria. Viviam num mundo à parte?

— Já vi uma mulher com um vestido vermelho decotado, os olhos vidrados, andando pelas ruas de Lubljana — quando o termômetro marcava 5° abaixo

de zero. Achei que ela estava bêbada e fui ajudá-la, mas ela recusou o meu casaco.

— Talvez, em seu mundo, fosse verão; e seu corpo estivesse quente pelo desejo de alguém que a esperava. Mesmo que esta outra pessoa existisse apenas em seu delírio, ela tem o direito de viver e morrer como quiser, não acha?

Veronika não sabia o que dizer, mas as palavras daquela louca faziam sentido. Quem sabe, não era ela a mulher que vira seminua nas ruas de Lubljana?

— Vou lhe contar uma história — disse Zedka. — Um poderoso feiticeiro, querendo destruir um reino, colocou uma poção mágica no poço onde todos os seus habitantes bebiam. Quem tomasse aquela água, ficaria louco.

"Na manhã seguinte, a população inteira bebeu, e todos enlouqueceram, menos o rei — que tinha um poço só para si e sua família, onde o feiticeiro não conseguira entrar. Preocupado, ele tentou controlar a população, baixando uma série de medidas de segurança e saúde pública: mas os policiais e inspetores haviam bebido a água envenenada, e acharam um absurdo as decisões do rei, resolvendo não respeitá-las de jeito nenhum.

"Quando os habitantes daquele reino tomaram conhecimento dos decretos, ficaram convencidos de que o soberano enlouquecera, e agora estava escrevendo coisas sem sentido. Aos gritos, foram até o castelo e exigiram que renunciasse.

"Desesperado, o rei prontificou-se a deixar o trono, mas a rainha o impediu, dizendo: *'vamos agora até a fonte, e beberemos também. Assim, ficaremos iguais a eles.'*

"E assim foi feito: o rei e a rainha beberam a água da loucura, e começaram imediatamente a dizer coisas sem sentido. Na mesma hora, os seus súditos se arrependeram: agora que o rei estava mostrando tanta sabedoria, por que não deixá-lo governando o país?

"O país continuou em calma, embora seus habitantes se comportassem de maneira muito diferente de seus vizinhos. E o rei pôde governar até o final dos seus dias."

Veronika riu.

— Você não parece louca — disse.

— Mas sou, embora esteja sendo curada, porque o meu caso é simples: basta recolocar no organismo uma determinada substância química. Entretanto, espero que esta substância resolva apenas o meu problema de depressão crônica; quero continuar louca, vivendo minha vida da maneira que sonho, e não da maneira que os outros desejam. Sabe o que existe lá fora, além dos muros de Villete?

— Gente que bebeu do mesmo poço.

— Exatamente — disse Zedka. — Acham que são normais, porque todos fazem a mesma coisa. Vou fingir que também bebi daquela água.

— Pois eu bebi, e é este, justamente, o meu problema. Nunca tive depressão, nem grandes alegrias, ou tristezas que durassem muito. Meus problemas são iguais aos de todo mundo.

Zedka ficou algum tempo em silêncio.

— Você vai morrer, nos disseram.

Veronika hesitou um instante: podia confiar naquela estranha? Mas precisava arriscar.

— Só daqui a cinco, seis dias. Fico pensando se existe um meio de morrer antes. Se você, ou alguém aqui dentro, conseguisse arranjar novos comprimidos, tenho certeza de que meu coração não agüentaria desta vez. Entenda o quanto estou sofrendo por ter que ficar esperando a morte, e me ajude.

Antes que Zedka pudesse responder, a enfermeira apareceu com uma injeção.

— Posso aplicá-la eu mesma — disse. — Mas, dependendo de sua vontade, posso pedir aos guardas lá fora que me ajudem.

— Não gaste sua energia à toa — disse Zedka para Veronika. — Poupe suas forças, se quiser conseguir o que me pede.

Veronika levantou-se, voltou a sua cama, e deixou que a enfermeira cumprisse sua tarefa.

Foi seu primeiro dia normal num asilo de loucos. Saiu da enfermaria, tomou café no grande refeitório onde homens e mulheres comiam juntos. Reparou que, ao contrário do que mostravam nos filmes — escândalos, gritarias, pessoas fazendo gestos demenciais — tudo parecia envolto numa aura de silêncio opressivo; parecia que ninguém desejava repartir seu mundo interior com estranhos.

Depois do café (razoável, não se podia culpar as refeições pela péssima fama de Villete) — saíram todos para um banho de sol. Na verdade, não havia sol algum — a temperatura estava abaixo de zero, e o jardim encontrava-se coberto de neve.

— Não estou aqui para conservar minha vida, mas para perdê-la — disse Veronika a um dos enfermeiros.

— Mesmo assim, precisa sair para o banho de sol.

— Vocês é que são loucos: não há sol!

— Mas há luz, e ela ajuda a acalmar os internos. Infelizmente nosso inverno dura muito; se não fosse assim, teríamos menos trabalho.

Era inútil discutir: saiu, caminhou um pouco, olhando tudo a sua volta, e procurando disfarçada-

mente uma maneira de fugir. O muro era alto, como exigiam os construtores de quartéis antigos, mas as guaritas para sentinelas estavam desertas. O jardim era contornado por prédios de aparência militar, que hoje abrigavam enfermarias masculinas, femininas, os escritórios de administração, e as dependências dos empregados. Ao final de uma primeira e rápida inspeção, notou que o único lugar realmente vigiado era o portão principal, onde todos que entravam e saíam tinham suas identidades verificadas por dois guardas.

Tudo parecia estar voltando ao lugar no seu cérebro. Para fazer um exercício de memória, começou a tentar lembrar-se de pequenas coisas — como o lugar onde deixava a chave do seu quarto, o disco que acabara de comprar, o mais recente pedido que lhe fizeram na biblioteca.

— Sou Zedka — disse uma mulher, se aproximando.

Na noite anterior, não pudera ver seu rosto — estivera agachada ao lado da cama todo o tempo da conversa. Ela devia ter aproximadamente 35 anos, e parecia absolutamente normal.

— Espero que a injeção não tenha causado muito problema. Com o tempo o organismo se acostuma, e os calmantes perdem o efeito.

— Estou bem.

— Aquela nossa conversa ontem à noite... o que você me pediu, lembra?

— Perfeitamente.

Zedka pegou-a por um braço, e começaram a caminhar juntas, por entre as muitas árvores sem fo-

lhas do pátio. Além dos muros, podia-se ver as montanhas desaparecendo nas nuvens.

— Está frio, mas é uma bonita manhã — disse Zedka. — É curioso, mas minha depressão nunca aparecia em dias como este, nublados, cinzentos, frios. Quando o tempo estava assim, eu sentia que a natureza estava de acordo comigo, mostrava minha alma. Por outro lado, quando aparecia o sol, as crianças começavam a brincar nas ruas, e todos estavam contentes com a beleza do dia, eu me sentia péssima. Como se fosse injusto que toda aquela exuberância se mostrasse, e eu não pudesse participar.

Com delicadeza, Veronika soltou-se do braço da mulher. Não gostava de contatos físicos.

— Você interrompeu sua frase. Você estava falando do meu pedido.

— Tem um grupo aqui dentro. São homens e mulheres que já podiam ter alta, estar em casa — mas não querem sair. As razões para isto são muitas: Villete não é tão mal como dizem, embora esteja longe de ser um hotel de cinco estrelas. Aqui dentro, todos podem dizer o que pensam, fazer o que desejam, sem ouvir qualquer tipo de crítica: afinal de contas, estão em um hospício. Então, na hora das inspeções do governo, estes homens e mulheres comportam-se como se estivessem num grau de insanidade perigosa, já que alguns deles estão aqui à custa do Estado. Os médicos sabem disso, mas parece que existe uma ordem dos donos, deixando que esta situação permaneça como está — já que existem mais vagas do que doentes.

— Eles podem arranjar os comprimidos?

— Procure entrar em contacto com eles; chamam seu grupo de *A Fraternidade*.

Zedka apontou para uma mulher com cabelos brancos, que conversava animadamente com outras mulheres mais jovens.

— Seu nome é Mari, e ela é da Fraternidade. Pergunte a ela.

Veronika começou a andar na direção de Mari, mas Zedka a interrompeu:

— Agora não: ela está se divertindo. Não irá interromper o que lhe dá prazer, só para ser simpática com uma estranha. Se ela reagir mal, você nunca mais terá uma chance de aproximar-se. Os *loucos* sempre acreditam na primeira impressão.

Veronika riu com a entonação que Zedka dera para a palavra *loucos*. Mas ficou inquieta, porque aquilo tudo estava parecendo normal, bom demais. Depois de tantos anos indo do trabalho para o bar, do bar para a cama de um namorado, da cama para o quarto, do quarto para a casa da mãe — agora ela estava vivendo uma experiência com a qual nunca sonhara: o asilo, a loucura, o hospício. Onde as pessoas não sentiam vergonha de confessar-se loucas. Onde ninguém interrompia o que gostava, só para ser simpático com os outros.

Começou a duvidar se Zedka estava falando sério, ou se era uma maneira que os doentes mentais adotam para fingir que vivem num mundo melhor que os outros. Mas que importância tinha isso? Estava vivendo algo interessante, diferente, jamais esperado: imagine um lugar onde as pessoas se fingem de loucas, para fazer exatamente o que querem?

Neste exato momento, o coração de Veronika deu uma pontada. A conversa com o médico voltou imediatamente ao seu pensamento, e ela se assustou.

— Quero andar sozinha — disse para Zedka. Afinal de contas, era também uma *louca*, e não precisava ficar querendo agradar ninguém.

A mulher se afastou, e Veronika ficou contemplando as montanhas além dos muros de Villete. Uma leve vontade de viver pareceu surgir, mas Veronika a afastou com determinação.

"Preciso arranjar logo os comprimidos."

Refletiu sobre sua situação ali; estava longe de ser a ideal. Mesmo que lhe dessem a possibilidade de viver todas as loucuras que tinha vontade, não saberia o que fazer.

Nunca tivera nenhuma loucura.

Depois de algum tempo no jardim, foram até o refeitório e almoçaram. Em seguida, os enfermeiros conduziram homens e mulheres até uma gigantesca sala de estar, com muitos ambientes — mesas, cadeiras, sofás, um piano, uma televisão, e amplas janelas de onde se podia ver o céu cinzento e as nuvens baixas. Nenhuma delas tinha grades, porque a sala dava para o jardim. As portas estavam fechadas por causa do frio, mas bastava girar a maçaneta, e poderia sair para caminhar de novo entre as árvores.

A maior parte das pessoas foi para a frente da televisão. Outros olhavam o vazio, alguns conversavam em voz baixa consigo mesmos — mas quem não fizera isso em algum momento de sua vida? Veronika reparou que a mulher mais velha, Mari, estava agora junto a um grupo maior, num dos cantos da gigantesca sala. Alguns dos internos passeavam ali perto, e Vero-

nika tentou juntar-se a eles: queria escutar o que estavam dizendo.

Procurou disfarçar ao máximo suas intenções. Mas quando chegou perto, eles se calaram e — todos juntos — olharam para ela.

— O que você quer? — disse um senhor idoso, que parecia ser o líder da Fraternidade (se é que tal grupo realmente existia, e Zedka não era mais louca do que aparentava).

— Nada, só estava passando.

Todos se entreolharam, e fizeram alguns gestos demenciais com a cabeça. Um comentou com o outro: "ela só estava passando!" Outro repetiu, em voz mais alta, e — em pouco tempo — todos começaram a gritar a mesma frase.

Veronika não sabia o que fazer, e ficou paralisada de medo. Um enfermeiro, forte e mal-encarado, veio saber o que estava acontecendo.

— Nada — respondeu um do grupo. — Ela só estava passando. Está parada aí, mas vai continuar a passar!

O grupo inteiro caiu na gargalhada. Veronika assumiu um ar irônico, sorriu, deu meia-volta e afastou-se, para que ninguém notasse que seus olhos se enchiam de lágrimas. Saiu direto para o jardim, sem agasalho. Um enfermeiro tentou convencê-la a voltar, mas logo apareceu outro, que sussurrou algo — e os dois a deixaram em paz, no frio. Não adiantava cuidar da saúde de uma pessoa condenada.

Estava confusa, tensa, irritada consigo mesma. Jamais se deixara levar por provocações; aprendera

desde cedo que era preciso manter o ar frio, distante, sempre que uma nova situação se apresentasse. Aqueles loucos, entretanto, tinham conseguido fazer com que tivesse vergonha, medo, raiva, vontade de matálos, de feri-los com palavras que não ousara dizer.

Talvez os comprimidos — ou o tratamento para tirá-la da coma — a tivessem transformado numa mulher frágil, incapaz de reagir por si mesma. Já enfrentara situações muito piores na sua adolescência, e, pela primeira vez, não conseguira controlar o choro! Precisava voltar a ser quem era, saber reagir com ironia, fingir que as ofensas nunca a atingiam, pois era superior a todos. Quem, daquele grupo, tivera coragem de desejar a morte? Quais daquelas pessoas podiam querer lhe ensinar sobre a vida, se estavam todas escondidas atrás dos muros de Villete? Nunca iria depender da ajuda delas para nada — mesmo que tivesse que esperar cinco ou seis dias para morrer.

"Um dia já passou. Sobram apenas quatro ou cinco."

Andou um pouco, deixando que o frio abaixo de zero entrasse por seu corpo e acalmasse o sangue que corria depressa, o coração que batia rápido demais.

"Muito bem, aqui estou eu, com as horas literalmente contadas, e dando importância para os comentários de gente que nunca vi, e que em breve nunca mais verei. E eu sofro, me irrito, quero atacar e defender. Para que perder tempo com isso?"

A realidade, porém, é que estava gastando o pouco tempo que lhe sobrava, para lutar por seu espaço num ambiente estranho, onde era preciso resistir, ou os outros impunham suas regras.

"Não é possível. Eu nunca fui assim. Eu nunca lutei por bobagens."

Parou no meio do jardim gelado. Justamente porque achava que tudo era bobagem, ela terminara aceitando o que a vida lhe tinha naturalmente imposto. Na adolescência, achava que era cedo demais para escolher; agora, na juventude, se convencera que era tarde demais para mudar.

E onde gastara toda a sua energia, até o momento? Tentando fazer com que tudo em sua vida continuasse o mesmo. Sacrificara muitos de seus desejos, para que seus pais a continuassem amando como a amavam quando criança, embora sabendo que o verdadeiro amor se modifica com o tempo, e cresce, e descobre novas maneiras de se expressar. Certo dia, quando escutara a mãe — aos prantos — lhe dizer que o casamento havia acabado, Veronika fora em busca do pai, chorara, ameaçara, e finalmente arrancara a promessa de que ele não sairia de casa — sem imaginar o preço alto que os dois deviam estar pagando por causa disso.

Quando resolveu arranjar um emprego, deixou de lado uma proposta tentadora numa companhia que acabava de se instalar em seu recém-criado país, para aceitar o trabalho na biblioteca pública, onde o dinheiro era pouco, mas seguro. Ia trabalhar todos os dias, no mesmo horário, sempre deixando claro aos seus chefes que não a vissem como uma ameaça, ela estava satisfeita, não pretendia lutar para crescer: tudo que desejava era o salário no final do mês.

Alugou o quarto no convento porque as freiras exigiam que todas as inquilinas voltassem em determinada hora, e depois passavam a chave na porta: quem

ficasse do lado de fora, tinha que dormir na rua. Ela sempre podia dar uma desculpa verdadeira aos namorados, para não ser obrigada a passar a noite em hotéis ou leitos estranhos.

Quando sonhava em casar, imaginava-se sempre num pequeno chalé fora de Lubljana, com um homem que fosse diferente do seu pai, que ganhasse apenas o suficiente para sustentar a família, que ficasse contente com o fato de que os dois estavam juntos numa casa com a lareira acesa, olhando as montanhas cobertas de neve.

Educara a si mesma para dar aos homens uma quantia exata de prazer — nem mais, nem menos, apenas o necessário. Não sentia raiva de ninguém, porque isso significava ter que reagir, combater um inimigo — e depois ter que agüentar conseqüências imprevisíveis, como vingança.

Quando conseguiu quase tudo o que desejava na vida, chegou à conclusão que a sua existência não tinha sentido, porque todos os dias eram iguais. E decidira morrer.

Veronika tornou a entrar, e se dirigiu ao grupo reunido em um dos cantos da sala. As pessoas conversavam, animadas, mas silenciaram assim que ela chegou.

Foi direto até o homem mais idoso, que parecia ser o chefe. Antes que alguém pudesse detê-la, deu-lhe um sonoro tapa no rosto.

— Vai reagir? — perguntou alto, para que todos na sala ouvissem. — Vai fazer alguma coisa?

— Não. — O homem passou a mão no rosto. Um pequeno filete de sangue escorreu do seu nariz. — Você não vai nos perturbar por muito tempo.

Ela deixou a sala de estar e caminhou para a sua enfermaria, com ar triunfante. Tinha feito algo que jamais fizera em sua vida.

Três dias se passaram desde o incidente com o grupo que Zedka chamava de "A Fraternidade". Arrependera-se do tapa — não por medo da reação do homem, mas porque fizera algo diferente. Em breve, podia terminar convencida de que a vida valia a pena, um sofrimento inútil — já que teria que partir deste mundo de qualquer maneira.

Sua única saída foi afastar-se de tudo e de todos, tentar de todas as maneiras ser como era antes, obedecer as ordens e regulamentos de Villete. Adaptou-se à rotina imposta pela casa de saúde: acordar cedo, café da manhã, passeio no jardim, almoço, sala de estar, novo passeio no jardim, ceia, televisão e cama.

Antes de dormir, uma enfermeira sempre aparecia com medicamentos. Todas as outras mulheres tomavam comprimidos, ela era a única em quem aplicavam uma injeção. Nunca reclamou; apenas quis saber por que lhe davam tanto calmante, já que nunca tivera problemas para dormir. Explicaram que a injeção não era um sonífero, mas um remédio para o seu coração.

E assim, obedecendo a rotina, os dias do hospício começaram a ficar iguais. Quando ficam iguais, passam mais rápido: mais dois ou três dias, e não seria

necessário escovar os dentes ou pentear o cabelo. Veronika percebia o seu coração enfraquecendo rapidamente: perdia o fôlego com facilidade, sentia dores no peito, não tinha apetite, e ficava tonta cada vez que fazia qualquer esforço.

Depois do incidente com a Fraternidade, chegara a pensar algumas vezes: "se eu tivesse uma escolha, se tivesse compreendido antes que meus dias eram iguais porque eu assim os desejava, talvez..."

Mas a resposta era sempre a mesma: "não há talvez, porque não há escolha". E a paz interior voltava, porque tudo estava determinado.

Neste período, desenvolveu uma relação (não uma amizade, porque amizade exige uma longa convivência, e isso seria impossível) com Zedka. Jogavam baralho — o que ajuda o tempo a passar mais rápido — e às vezes caminhavam juntas, em silêncio, pelo jardim.

Na manhã daquele dia, logo depois do café, todos saíram para o "banho de sol" — conforme exigia o regulamento. Um enfermeiro, porém, pediu que Zedka voltasse à enfermaria, pois era o dia do "tratamento".

Veronika estava tomando café com ela, e escutou o comentário.

— O que é "tratamento"?

— É um processo antigo, da década de sessenta, mas os médicos acham que pode acelerar a recuperação. Você quer ver?

— Você disse que tinha depressão. Não basta tomar o remédio para repor a tal substância que falta?

— Você quer ver? — insistiu Zedka.

Ia sair da rotina, pensou Veronika. Ia descobrir novas coisas, quando não precisava aprender mais nada — apenas ter paciência. Mas sua curiosidade foi mais forte, e ela fez que sim com a cabeça.

— Isto não é uma exibição — reclamou o enfermeiro.

— Ela vai morrer. E não viveu nada. Deixa que venha conosco.

Veronika assistiu a mulher ser amarrada na cama, sempre com um sorriso nos lábios.

— Conta o que está acontecendo — disse Zedka para o enfermeiro. — Ou ela vai ficar assustada.

Ele virou-se e mostrou uma injeção. Parecia feliz de ser tratado como um médico, que explica aos estagiários os procedimentos corretos e os tratamentos adequados.

— Nesta seringa, está uma dose de insulina — disse, dando às suas palavras um tom grave e técnico. — É usada por diabéticos para combater as altas doses de açúcar. Entretanto, quando a dose é muito mais elevada que a habitual, a queda na taxa de açúcar provoca o estado de coma.

Ele bateu levemente na agulha, retirou o ar, e aplicou-a na veia do pé direito de Zedka.

— É isso que vai acontecer agora. Ela vai entrar num coma induzido. Não se assuste se seus olhos ficarem vidrados, e não espere que a reconheça enquanto estiver sob o efeito da medicação.

— Isso é horroroso, desumano. As pessoas lutam para sair, e não para entrar em coma.

— As pessoas lutam para viver, e não para cometerem suicídio — respondeu o enfermeiro, mas Veronika ignorou a provocação. — E o estado de coma

deixa o organismo em repouso; suas funções são drasticamente reduzidas, a tensão existente desaparece.

Enquanto falava, injetava o líquido, e os olhos de Zedka iam perdendo o brilho.

— Fique tranqüila — dizia Veronika para ela. — Você é absolutamente normal, a história que você me contou sobre o rei...

— Não perca seu tempo. Ela já não pode mais ouvi-la.

A mulher deitada na cama, que minutos antes parecia lúcida e cheia de vida, agora tinha os olhos fixos num ponto qualquer, e um líquido espumante saindo de sua boca.

— O que você fez? — gritou para o enfermeiro.

— Meu dever.

Veronika começou a chamar por Zedka, a gritar, a ameaçar com a polícia, os jornais, os direitos humanos.

— Fique calma. Mesmo estando num sanatório, é preciso respeitar algumas regras.

Ela viu que o homem estava falando sério, e teve medo. Mas como não tinha mais nada a perder, continuou gritando.

De onde estava, Zedka podia ver a enfermaria com todos os leitos vazios — exceto um, onde repousava o seu corpo amarrado, com uma menina olhando espantada para ele. A menina não sabia que aquela pessoa na cama ainda tinha suas funções biológicas funcionando perfeitamente, mas sua alma estava no ar, quase tocando o teto, experimentando uma profunda paz.

Zedka estava fazendo uma viagem astral — algo que tinha sido uma surpresa durante o primeiro choque de insulina. Não tinha comentado com ninguém; estava ali apenas para curar uma depressão, e pretendia deixar aquele lugar para sempre, assim que suas condições permitissem. Se começasse a comentar que havia saído do corpo, pensariam que estava mais louca do que quando entrara para Villete. Entretanto, assim que voltara ao corpo, começara a ler sobre aqueles dois temas: o choque de insulina, e a estranha sensação de flutuar no espaço.

Não havia muita coisa sobre o tratamento: tinha sido aplicado pela primeira vez por volta de 1930, mas fora completamente banido de hospitais psiquiátricos, pela possibilidade de causar danos irreversíveis no paciente. Uma vez, durante uma sessão de choque, visitara em corpo astral o escritório do Dr. Igor, jus-

tamente no momento em que ele discutia o tema com alguns dos donos do asilo. "É um crime!", dizia ele. "Mas é mais barato e mais rápido!", respondera um dos acionistas. "Além disso, quem se interessa por direitos de louco? Ninguém vai reclamar nada!"

Mesmo assim, alguns médicos ainda o consideravam como uma forma rápida de tratar a depressão. Zedka procurara — e pedira emprestado — tudo quanto era tipo de texto que tratasse do choque insulínico, principalmente o relato de pacientes que já haviam passado por aquilo. A história era sempre a mesma: horrores e mais horrores, sem que nenhum deles tivesse experimentado qualquer coisa parecida com o que ela vivia neste momento.

Concluiu — com toda razão — que não havia qualquer relação entre a insulina e a sensação de que sua consciência saía do corpo. Muito pelo contrário, a tendência daquele tipo de tratamento era diminuir a capacidade mental do paciente.

Começou a pesquisar sobre a existência da alma, passou por alguns livros de ocultismo, até que um dia terminou encontrando uma vasta literatura que descrevia exatamente o que ela estava experimentando: chamava-se "viagem astral", e muitas pessoas já haviam passado por isso. Algumas resolveram descrever o que haviam sentido, e outras chegaram mesmo a desenvolver técnicas para provocar a saída do corpo. Zedka agora conhecia estas técnicas de cor, e as utilizava todas as noites, para ir onde queria.

Os relatos das experiências e visões variaram, mas todos tinham alguns pontos em comum: o estranho e

irritante ruído que precede a separação do corpo e do espírito, seguido do choque, de uma rápida perda de consciência, e logo a paz e a alegria de estar flutuando no ar, presa por um cordão prateado ao corpo — um cordão que podia se esticar indefinidamente, embora corressem lendas (nos livros, é claro) de que a pessoa morreria se deixasse o tal fio de prata arrebentar.

Sua experiência, porém, mostrara que podia ir tão longe quanto quisesse, e o cordão não se rompia nunca. Mas, de uma maneira geral, os livros tinham sido muito úteis para ensiná-la a aproveitar cada vez mais a viagem astral. Aprendera, por exemplo, que quando quisesse mudar de um lugar para o outro, tinha que *desejar* projetar-se no espaço, mentalizando aonde queria chegar. Ao invés de fazer um percurso como os aviões — que saem de um lugar e percorrem determinada distância até chegar a outro ponto — a viagem astral era feita por túneis misteriosos. Mentalizava-se um lugar, entrava-se no tal túnel a uma velocidade espantosa, e o local desejado aparecia.

Fora também através dos livros que perdera o medo das criaturas que habitavam o espaço. Hoje não havia ninguém na enfermaria, mas a primeira vez que saíra do seu corpo encontrara muita gente olhando, divertindo-se com sua cara de surpresa.

Sua primeira reação fora pensar que eram mortos, fantasmas habitavam o local. Depois, com ajuda dos livros e da própria experiência, deu-se conta que, embora alguns espíritos desencarnados vagassem por ali, havia entre eles muita gente tão viva quanto ela — que desenvolvera a técnica de sair do corpo, ou que não tinha consciência do que estava acontecendo, porque — em algum lugar do mundo — dormia

profundamente, enquanto seus espíritos vagavam livres pelo mundo.

Hoje — por ser sua última viagem astral com insulina, pois tinha acabado de visitar o escritório do Dr. Igor, e sabia que ele estava prestes a lhe dar alta — ela decidira ficar passeando por Villete. Do momento em que cruzasse a porta de saída, nunca mais voltaria ali, nem mesmo em espírito, e queria despedir-se agora.

Despedir-se. Esta era a parte mais difícil: uma vez num asilo, a pessoa acostuma-se com a liberdade que existe no mundo da loucura, e termina ficando viciada. Já não tem mais que assumir responsabilidades, lutar pelo pão de cada dia, cuidar de coisas que são repetitivas e aborrecidas; pode ficar horas olhando um quadro ou fazendo os desenhos mais absurdos possíveis. Tudo é tolerável porque — afinal de contas — a pessoa é doente mental. Como ela própria tivera ocasião de experimentar, a maior parte dos internos apresenta uma grande melhora assim que pisa num hospício: já não precisa ficar escondendo seus sintomas, e o ambiente "familiar" os ajuda a aceitar suas próprias neuroses e psicoses.

No início, Zedka ficara fascinada por Villete, e chegou a cogitar, quando estivesse curada, em participar da Fraternidade. Mas entendeu que, com alguma sabedoria, podia continuar fazendo lá fora tudo o que gostaria de fazer, enquanto cuidava dos desafios da vida diária. Bastava manter, como dissera alguém, a *loucura controlada*. Chorar, preocupar-se, ficar irritada como qualquer ser humano normal, sem nunca esquecer que, lá em cima, seu espírito está rindo de todas as situações difíceis.

Em breve estaria de volta a sua casa, aos filhos, ao marido; e esta parte da vida também tem seus encantos. Certamente teria dificuldade em encontrar traba-

lho — afinal, numa cidade pequena como Lubljana as histórias correm com rapidez, e sua internação em Villete já era do conhecimento de muita gente. Mas o seu marido ganhava o suficiente para sustentar a família, e ela podia aproveitar o tempo vago para continuar a fazer suas viagens astrais, — sem a perigosa influência da insulina.

Só uma coisa não queria jamais experimentar de novo: o motivo que a trouxera para Villete.

Depressão.

O médicos diziam que uma substância recém-descoberta, a serotonina, era uma das responsáveis pelo estado de espírito do ser humano. A falta de serotonina interferia na capacidade de concentrar-se no trabalho, dormir, comer, e desfrutar dos momentos agradáveis da vida. Quando esta substância estava completamente ausente, a pessoa sentia desesperança, pessimismo, sensação de inutilidade, cansaço exagerado, ansiedade, dificuldades para tomar decisões, e terminava mergulhando numa tristeza permanente, que a conduzia a uma apatia completa, ou ao suicídio.

Outros médicos, mais conservadores, alegavam que mudanças drásticas na vida de alguém — como troca de país, perda de um ente querido, divórcio, aumento de exigências no trabalho ou na família — eram responsáveis pela depressão. Alguns estudos modernos, baseados no número de internações no inverno e no verão, apontavam a falta de luz solar como um dos elementos causadores da depressão.

No caso de Zedka, porém, as razões eram mais simples do que todos supunham: um homem escondido no seu passado. Ou melhor: a fantasia que criara

em torno de um homem que conhecera há muito tempo atrás.

Que coisa boba. Depressão, loucura por um homem que nem sequer sabia mais onde morava, pelo qual se apaixonara perdidamente em sua juventude — já que, como todas as outras moças de sua idade, Zedka era uma pessoa absolutamente normal, e precisava passar pela experiência do Amor Impossível.

Só que, ao contrário de suas amigas, que apenas sonhavam com o Amor Impossível, Zedka resolvera ir mais longe: tentaria conquistá-lo. Ele morava do outro lado do oceano, ela vendera tudo para ir ao seu encontro. Ele era casado, ela aceitou o papel de amante, fazendo planos secretos para um dia conquistá-lo como marido. Ele não tinha tempo nem para si mesmo, mas ela resignou-se a passar dias e noites no quarto do hotel barato, esperando suas raras chamadas telefônicas.

Apesar de estar disposta a suportar tudo, em nome do amor, a relação não dera certo. Ele nunca dissera isso diretamente, mas um dia Zedka entendeu que já não era bem-vinda, e voltara para a Eslovênia.

Passou alguns meses alimentando-se mal, recordando cada instante que estiveram juntos, revendo milhares de vezes os momentos de alegria e prazer na cama, tentando descobrir alguma pista que lhe permitisse acreditar no futuro daquela relação. Seus amigos ficaram preocupados, mas algo no coração de Zedka dizia que aquilo era passageiro: o processo de crescimento de uma pessoa exige certo preço, que ela estava pagando sem reclamar. E assim foi: certa manhã

acordou com uma imensa vontade de viver, alimentou-se como há tempo não fazia, e saiu para arranjar um emprego.

Conseguiu não apenas o emprego, mas as atenções de um jovem bonito, inteligente, cortejado por muitas mulheres. Um ano depois, estava casada com ele.

Despertou a inveja e o aplauso das amigas. Os dois foram morar numa casa confortável, com o quintal dando para o rio que cruza Lubljana. Tiveram filhos, e viajavam para a Áustria ou para a Itália durante o verão.

Quando a Eslovênia resolveu separar-se da Iugoslávia, ele fora convocado para o exército. Zedka era sérvia — ou seja, "o inimigo" — e sua vida ameaçou entrar em colapso. Nos dez dias de tensão que se seguiram, com as tropas prontas para enfrentar-se — e ninguém sabendo direito qual o resultado da declaração de independência, e o sangue que precisava ser derramado por causa dela — Zedka deu-se conta do seu amor. Passava o tempo inteiro rezando para um Deus que até então lhe parecera distante, mas que agora era a sua única saída: prometeu aos santos e anjos qualquer coisa para ter seu marido de volta.

E assim foi. Ele retornou, os filhos puderam ir a escolas que ensinavam o idioma esloveno, e a ameaça de guerra moveu-se para a vizinha república da Croácia.

Três anos se passaram. A guerra da Iugoslávia com a Croácia moveu-se para a Bósnia, e começaram a aparecer denúncias de massacres cometidos pelos

sérvios. Zedka achava aquilo injusto — julgar criminosa toda uma nação, por causa dos desvarios de alguns alucinados. Sua vida passou a ter um sentido que nunca esperara: defendeu com orgulho e bravura o seu povo — escrevendo em jornais, aparecendo na televisão, organizando conferências. Nada daquilo dera resultado, e até hoje os estrangeiros ainda pensavam que *todos* os sérvios eram responsáveis pelas atrocidades, mas Zedka sabia que tinha cumprido seu dever, e não abandonara seus irmãos numa hora difícil. Para isso, contara com o apoio do marido esloveno, dos filhos, e das pessoas que não eram manipuladas pelas máquinas de propaganda de ambos os lados.

Uma tarde, passou diante da estátua de Prešeren, o grande poeta esloveno, e começou a pensar sobre sua vida. Aos 34 anos, ele entrara certa vez numa igreja e vira uma moça adolescente, Julia Primic, pela qual ficara perdidamente apaixonado. Como os antigos menestréis, começou a lhe escrever poemas, na esperança de casar-se com ela.

Acontece que Julia era filha de uma família da alta burguesia, e — afora aquela visão fortuita dentro da igreja — Prešeren nunca mais conseguiu chegar perto dela. Mas aquele encontro inspirou seus melhores versos, e criou a lenda em torno do seu nome. Na pequena praça central de Lubljana, a estátua do poeta mantém os olhos fixos em uma direção: quem seguir seu olhar, descobrirá — do outro lado da praça — um rosto de mulher esculpido na parede de uma das casas. Era ali que morava Julia; Prešeren, mesmo de-

pois de morto, contempla para a eternidade o seu amor impossível.

E se ele tivesse lutado mais?

O coração de Zedka disparou — talvez fosse o pressentimento de algo ruim, um acidente com seus filhos. Voltou correndo para casa: eles estavam assistindo televisão e comendo pipocas.

A tristeza, porém, não passou. Zedka deitou-se, dormiu quase 12 horas, e — quando acordou — não teve vontade de levantar-se. A história de Prešeren trouxera de volta a imagem daquele seu primeiro amante, de cujo destino nunca mais tivera notícias.

E Zedka se perguntava: eu insisti o suficiente? Deveria ter aceito o papel da amante, ao invés de querer que as coisas andassem segundo minhas próprias expectativas? Lutei por meu primeiro amor com a mesma garra com que lutei por meu povo?

Zedka convenceu-se que sim, mas a tristeza não passava. O que antes lhe parecia o paraíso — a casa perto do rio, o marido a quem amava, os filhos comendo pipoca diante da televisão — começou a transformar-se num inferno.

Hoje, depois de muitas viagens astrais e muitos encontros com espíritos desenvolvidos, Zedka sabia que tudo aquilo era bobagem. Usara o seu Amor Impossível como uma desculpa, um pretexto para romper os laços com a vida que levava, e que estava longe de ser aquilo que verdadeiramente esperava de si mesma.

Mas, doze meses atrás, a situação era outra: ela começou a procurar freneticamente o homem distante, gastara fortunas com chamadas internacionais, mas ele já não morava na mesma cidade, e foi impossível localizá-lo. Mandou cartas por correio expresso, que acabavam sendo devolvidas. Ligou para todas as amigas e amigos que o conheciam, e ninguém tinha a menor idéia do que lhe acontecera.

Seu marido não sabia de nada, e isto a levava à loucura — porque ele devia pelo menos suspeitar de algo, fazer uma cena, queixar-se, ameaçar deixá-la no meio da rua. Passou a ter certeza de que as telefonistas internacionais, os correios, as amigas tinham sido subornadas por ele — que fingia indiferença. Vendeu as jóias que ganhara de casamento e comprou uma passagem para o outro lado do oceano, até que alguém a convenceu que as Américas formavam um território imenso e não adiantava ir sem ter certeza de aonde chegar.

Certa tarde ela deitou-se, sofrendo por amor como nunca sofrera antes — nem mesmo quando tivera que voltar para o aborrecido cotidiano de Lubljana. Passou aquela noite, e todo o dia seguinte no quarto. E mais outro. No terceiro, seu marido chamou um médico — como era bondoso! Quanta preocupação por ela! Será que este homem não entendia que Zedka estava tentando se encontrar com outro, cometer adultério, trocar sua vida de mulher respeitada pela de uma simples amante escondida, deixar Lubljana, sua casa, seus filhos, para sempre?

O médico chegou, ela teve um ataque nervoso, fechou a porta com a chave — e só tornou a abri-la quando ele foi embora. Uma semana depois, não tinha vontade nem de ir ao banheiro, e passou a fazer suas

necessidades fisiológicas na cama. Já não pensava mais, a cabeça estava completamente tomada pelos fragmentos de memória do homem que — estava convencida — também a buscava sem conseguir encontrá-la.

O marido — irritantemente generoso — trocava os lençóis, passava a mão na sua cabeça, dizia que tudo ia terminar bem. Os filhos não entravam no quarto desde que ela esbofeteara um deles sem nenhum motivo — e depois ajoelhara-se, beijara seus pés implorando desculpas, rasgando a camisola em pedaços para mostrar seu desespero e arrependimento.

Depois de outra semana — em que cuspira a comida que lhe era oferecida, entrara e saíra desta realidade várias vezes, passara noites inteiras em claro e dias inteiros dormindo, dois homens entraram no seu quarto sem bater. Um deles segurou-a, outro aplicou uma injeção, e ela acordara em Villete.

"Depressão", ela escutara o médico dizer ao seu marido. "Às vezes provocada pelos motivos mais banais. Falta um elemento químico, a serotonina, em seu organismo."

Do teto da enfermaria, Zedka viu o enfermeiro chegar com uma seringa na mão. A garota continuava ali, parada, tentando conversar com seu corpo, desesperada com seu olhar vazio. Por alguns momentos, Zedka considerou a possibilidade de contar para ela tudo o que estava acontecendo, mas depois mudou de idéia; as pessoas nunca aprendem nada que lhes é contado, precisam descobrir por si mesmas.

O enfermeiro colocou a agulha no seu braço, e injetou glicose. Como se tivesse sido puxado por um enorme braço, seu espírito saiu do teto da enfermaria, passou em alta velocidade por um túnel negro, e retornou ao corpo.

— Olá, Veronika.

A menina tinha um ar apavorado.

— Você está bem?

— Estou. Felizmente consegui escapar deste perigoso tratamento, mas isso não irá se repetir mais.

— Como você sabe? Aqui, não respeitam ninguém.

Zedka sabia porque fora, em corpo astral, até o escritório do Dr. Igor.

— Eu sei, mas não tenho como explicar. Lembra-se da primeira pergunta que lhe fiz?

— "O que é um louco?"

— Exatamente. Desta vez vou lhe responder sem fábulas: a loucura é a incapacidade de comunicar suas idéias. Como se você estivesse num país estrangeiro — vendo tudo, entendendo o que se passa a sua volta, mas incapaz de se explicar e de ser ajudada, porque não entende a língua que falam ali.

— Todos nós já sentimos isso.

— Todos nós, de um jeito ou de outro, somos loucos.

Do lado de fora da janela gradeada, o céu estava coberto de estrelas, com uma lua em quarto crescente subindo por trás das montanhas. Os poetas gostavam da lua cheia, escreviam milhares de versos sobre ela, mas Veronika era apaixonada por aquela meia-lua, porque ainda havia espaço para aumentar, expandir-se, preencher de luz toda a sua superfície, antes da inevitável decadência.

Teve vontade de ir até o piano na sala de estar, e celebrar aquela noite com uma linda sonata que aprendera no colégio; olhando o céu, tinha uma indescritível sensação de bem-estar, como se o infinito do Universo mostrasse também sua própria eternidade. Mas estava separada de seu desejo por uma porta de aço, e uma mulher que nunca terminava de ler o seu livro. Além do mais, ninguém tocava piano àquela hora da noite — terminaria acordando a vizinhança inteira.

Veronika riu. A "vizinhança" eram as enfermarias repletas de loucos, estes loucos, por sua vez, repletos de remédios para dormir.

A sensação de bem-estar, entretanto, continuava. Levantou-se e foi até o leito de Zedka, mas ela estava dormindo profundamente, talvez para recuperar-se da horrível experiência pela qual passara.

— Volte para a cama — disse a enfermeira. — Meninas boas estão sonhando com os anjinhos ou os namorados.

— Não me trate como criança. Não sou uma louca mansa, que tem medo de tudo. Sou furiosa, tenho ataques histéricos, não respeito nem minha vida, nem a vida dos outros. Hoje, então, estou atacada. Olhei a lua, e quero conversar com alguém.

A enfermeira olhou-a, surpresa com a reação.

— Você tem medo de mim? — insistiu Veronika. — Faltam um ou dois dias para a minha morte, o que tenho a perder?

— Por que você não vai dar um passeio, mocinha, e me deixa terminar o livro?

— Porque existe uma prisão, e uma carcereira, que finge ler um livro, apenas para mostrar aos outros que é uma mulher inteligente. Na verdade, porém, ela está atenta a cada movimento dentro da enfermaria, e guarda as chaves da porta como se fossem um tesouro. O regulamento deve dizer isso, e ela obedece, porque assim pode mostrar a autoridade que não tem em sua vida diária, com seu marido e filhos.

Veronika tremia, sem entender direito por quê.

— Chaves? — perguntou a enfermeira. — A porta está sempre aberta. Imagine se vou ficar aqui dentro, trancada com um bando de doentes mentais!

"Como a porta está aberta? Há alguns dias eu quis sair daqui, e esta mulher foi até o banheiro me vigiar. O que ela está dizendo?"

— Não me leve a sério — continuou a enfermeira. — O fato é que não precisamos de muito controle,

por causa dos comprimidos para dormir. Você está tremendo de frio?

— Não sei. Acho que deve ser coisa do meu coração.

— Se quiser, vá dar o seu passeio.

— Na verdade, o que eu gostaria mesmo era tocar piano.

— A sala de estar é isolada, e seu piano não perturbaria ninguém. Faça o que tiver vontade.

O tremor de Veronika transformou-se em soluços baixos, tímidos, contidos. Ela ajoelhou-se, e colocou a cabeça no colo da mulher, chorando sem parar.

A enfermeira deixou o livro, acariciou seus cabelos, deixando que a onda de tristeza e pranto fosse embora naturalmente. Ali ficaram as duas, por quase meia hora: uma que chorava sem dizer por que, outra que consolava sem saber o motivo.

Os soluços finalmente terminaram. A enfermeira levantou-a, pegou-a pelo braço, e conduziu-a até a porta.

— Tenho uma filha da sua idade. Quando você chegou aqui, cheia de soros e tubos, fiquei imaginando por que uma moça bonita, jovem, que tem a vida pela frente, resolve matar-se.

"Logo começaram a correr histórias: a carta que deixou — e que nunca acreditei ser o real motivo — e os dias contados por causa de um problema incurável no coração. A imagem da minha filha não saía de minha cabeça: e se ela resolve fazer alguma coisa igual? Por que certas pessoas tentam ir contra a ordem natural da vida — que é lutar para sobreviver de qualquer maneira?"

— Por isso eu estava chorando — disse Veronika.
— Quando tomei os comprimidos, eu queria matar alguém que detestava. Não sabia que existiam, dentro de mim, outras Veronikas que eu saberia amar.

— O que faz uma pessoa detestar a si mesma?

— Talvez a covardia. Ou o eterno medo de estar errada, de não fazer o que os outros esperam. Há alguns minutos estava alegre, esqueci minha sentença de morte; quando voltei a entender a situação em que me encontro, fiquei assustada.

A enfermeira abriu a porta, e Veronika saiu.

Ela não podia ter me perguntado isso. O que ela quer, entender por que eu chorei? Será que não sabe que sou uma pessoa absolutamente normal, com desejos e medos comuns a todo mundo, e que este tipo de pergunta — agora que já é tarde — pode me fazer entrar em pânico?

Enquanto caminhava pelos corredores, iluminados pela mesma lâmpada fraca que vira na enfermaria, Veronika se dava conta de que era tarde demais: já não conseguia controlar seu medo.

"Preciso me controlar. Sou alguém que leva até o fim qualquer coisa que decide fazer."

Era verdade que levara até as últimas conseqüências muitas coisas em sua vida, mas só o que não era importante — como prolongar brigas que um pedido de desculpa resolveria, ou deixar de ligar para um homem pelo qual estava apaixonada, por achar que aquela relação não ia levar a nada. Fora intransigente justamente naquilo que era mais fácil: mostrar para si mesma sua força e indiferença, quando na verdade era

uma mulher frágil, que jamais conseguira destacar-se nos estudos, nas competições esportivas de sua escola, na tentativa de manter a harmonia em seu lar.

Superara os seus defeitos simples, só para ser derrotada nas coisas importantes e fundamentais. Conseguia passar a aparência da mulher independente, quando necessitava desesperadamente de uma companhia. Chegava nos lugares e todos a olhavam, mas geralmente terminava a noite sozinha, no convento, olhando a televisão que nem sequer sintonizava os canais direito. Dera a todos os seus amigos a impressão de ser um modelo que eles deviam invejar — e gastara o melhor de suas energias tentando se comportar à altura da imagem que criara para si mesma.

Por causa disso, nunca lhe sobraram forças para ser ela mesma — uma pessoa que, como todas as outras do mundo, necessitava dos outros para ser feliz. Mas os outros eram tão difíceis! Tinham reações imprevisíveis, viviam cercados de defesas, comportavam-se também como ela, mostrando indiferença a tudo. Quando chegava alguém mais aberto para a vida, ou o rejeitavam imediatamente, ou o faziam sofrer, considerando-o inferior e "ingênuo".

Muito bem: podia ter impressionado muita gente com sua força e determinação, mas aonde havia chegado? No vazio. Na solidão completa. Em Villete. Na ante-sala da morte.

O remorso pela tentativa de suicídio voltou, e Veronika tornou a afastá-lo com firmeza. Porque agora estava sentindo algo que nunca se permitira: ódio.

Ódio. Algo quase tão físico como paredes, ou pianos, ou enfermeiras — ela quase podia tocar a energia destruidora que saía do seu corpo. Deixou que

o sentimento viesse, sem se preocupar se era bom ou não — bastava de autocontrole, de máscaras, de posturas convenientes, Veronika agora queria passar seus dois ou três dias de vida sendo a mais inconveniente possível.

Começara dando um tapa no rosto de um homem mais velho, tivera um ataque com o enfermeiro, recusara-se a ser simpática e conversar com os outros quando queria ficar sozinha, e agora era livre o suficiente para sentir ódio — embora esperta o bastante para não começar a quebrar tudo a sua volta, e ter que passar o final de sua vida sob o efeito de sedativos, numa cama da enfermaria.

Odiou tudo o que pôde naquele momento. A si mesma, o mundo, a cadeira que estava na sua frente, a calefação quebrada num dos corredores, as pessoas perfeitas, os criminosos. Estava internada num hospício, e podia sentir coisas que os seres humanos escondem de si mesmos — porque somos todos educados apenas para amar, aceitar, tentar descobrir uma saída, evitar o conflito. Veronika odiava tudo, mas odiava principalmente a maneira como conduzira sua vida — sem jamais descobrir as centenas de outras Veronikas que habitavam dentro dela, e que eram interessantes, loucas, curiosas, corajosas, arriscadas.

Em dado momento, começou a sentir ódio também pela pessoa que mais amava no mundo: sua mãe. A excelente esposa que trabalhava de dia e lavava os pratos de noite, sacrificando sua vida para que a filha tivesse uma boa educação, soubesse tocar piano e violino, se vestisse como uma princesa, comprasse os tênis e calças de marca, enquanto ela remendava o velho vestido que usava há anos.

"Como posso odiar quem apenas me deu amor?", pensava Veronika, confusa, e querendo corrigir seus sentimentos. Mas já era tarde demais, o ódio estava solto, ela abrira as portas do seu inferno pessoal. Odiava o amor que lhe tinha sido dado — porque não pedia nada em troca — o que é absurdo, irreal, contra as leis da natureza.

O amor que não pedia nada em troca conseguia enchê-la de culpa, de vontade de corresponder às suas expectativas, mesmo que isso significasse abrir mão de tudo que sonhara para si mesma. Era um amor que tentara lhe esconder, durante anos, os desafios e a podridão do mundo — ignorando que um dia ela iria se dar conta disso, e não teria defesas para enfrentá-los.

E seu pai? Odiava seu pai, também. Porque, ao contrário de sua mãe que trabalhava o tempo todo, ele sabia viver, a levava aos bares e ao teatro, divertiam-se juntos, e quando ainda era jovem ela o amara em segredo, não como se ama um pai, mas um homem. Odiava-o porque ele fora sempre tão encantador e tão aberto com todo mundo — menos com sua mãe, a única que realmente merecia o melhor.

Odiava tudo. A biblioteca com seu monte de livros cheios de explicações sobre a vida, o colégio onde fora obrigada a gastar noites inteiras aprendendo álgebra, embora não conhecesse nenhuma pessoa — exceto os professores e matemáticos — que precisasse de álgebra para ser mais feliz. Por que lhe tinham feito estudar tanto álgebra, ou geometria, ou aquela montanha de coisas absolutamente inúteis?

Veronika empurrou a porta da sala de estar, chegou diante do piano, abriu sua tampa, e — com

toda a força — bateu com as mãos no teclado. Um acorde louco, sem nexo, irritante, ecoando pelo ambiente vazio, batendo nas paredes, voltando aos seus ouvidos sob a forma de um ruído agudo, que parecia arranhar sua alma. Mas isso era o melhor retrato de sua alma naquele momento.

Tornou a bater com as mãos, e mais uma vez as notas dissonantes reverberaram por toda parte.

"Sou louca. Posso fazer isso. Posso odiar, e posso espancar o piano. Desde quando os doentes mentais sabem colocar as notas em ordem?"

Bateu no piano uma, duas, dez, vinte vezes — e a cada vez que fazia isso, seu ódio parecia diminuir, até que passou por completo.

Então, novamente, uma profunda paz inundou-a, e Veronika tornou a olhar o céu estrelado, com a lua em quarto crescente — sua favorita — enchendo de luz suave o lugar onde se encontrava. Veio de novo a sensação de que Infinito e Eternidade andavam de mãos dadas, e bastava contemplar um deles — como o Universo sem limites — para notar a presença do outro, o Tempo que não termina nunca, que não passa, que permanece no Presente, onde estão todos os segredos da vida. Entre a enfermaria e a sala ela fora capaz de odiar, tão forte e tão intensamente, que não lhe sobrara nenhum rancor no coração. Deixara que seus sentimentos negativos, represados durante anos em sua alma, viessem finalmente à tona. Ela os tinha

sentido, e agora não eram mais necessários — podiam partir.

Ficou em silêncio, vivendo seu momento Presente, deixando que o amor ocupasse o espaço vazio que o ódio deixara. Quando sentiu que chegara o momento, virou-se para a lua e tocou uma sonata em sua homenagem — sabendo que ela a escutava, ficava orgulhosa, e isto provocava ciúmes nas estrelas. Tocou então uma música para as estrelas, outra para o jardim, e uma terceira para as montanhas que não podia ver de noite, mas sabia que estavam lá.

No meio da música para o jardim, outro louco apareceu — Eduard, um esquizofrênico que estava além da possibilidade de cura. Ela não se assustou com sua presença: ao contrário, sorriu, e para sua surpresa ele sorriu de volta.

Também no seu mundo distante, mais distante do que a lua, a música era capaz de penetrar e fazer milagres.

"Tenho que comprar um novo chaveiro", pensava o Dr. Igor, enquanto abria a porta do seu pequeno consultório no Sanatório de Villete. O antigo estava caindo aos pedaços, e o pequeno escudo de metal que o enfeitava acabara de cair no chão.

Dr. Igor abaixou-se e pegou-o. O que iria fazer com este escudo, mostrando o brasão de Lubljana? Melhor jogar fora. Mas podia mandar consertá-lo, pedindo que fizessem uma nova alça de couro — ou podia dá-lo a seu neto, para brincar. Ambas as alternativas lhe pareceram absurdas; um chaveiro custava muito barato, e seu neto não tinha o menor interesse em escudos — passava o tempo todo vendo televisão, ou divertindo-se com jogos eletrônicos importados da Itália. Mesmo assim, não jogou fora; colocou-o no bolso, para decidir mais tarde o que fazer com ele.

Por isso era um diretor de sanatório, e não um doente; porque refletia muito antes de tomar qualquer atitude.

Acendeu a luz — amanhecia cada vez mais tarde, à medida que avançava o inverno. A ausência de luz, assim como as mudanças de casa ou os divórcios eram os principais responsáveis pelo aumento do número de casos de depressão. Dr. Igor torcia para que a pri-

mavera chegasse logo, e resolvesse metade dos seus problemas.

Olhou a agenda do dia. Precisava estudar algumas medidas para não deixar que Eduard morresse de fome; sua esquizofrenia fazia com que fosse imprevisível, e agora ele deixara de comer por completo. Dr. Igor já receitara alimentação intravenosa, mas não podia manter aquilo para sempre; Eduard tinha 28 anos, era forte, e mesmo com o soro ia terminar definhando, ficando com aspecto esquelético.

Qual seria a reação do pai de Eduard, um dos mais conhecidos embaixadores da jovem república eslovena, um dos artífices das delicadas negociações com a Iugoslávia, no começo dos anos 90? Afinal, este homem havia conseguido trabalhar durante anos para Belgrado, sobrevivera aos seus detratores — que o acusavam de haver servido ao inimigo — e continuava no corpo diplomático, só que desta vez representando um país diferente. Era um homem poderoso e influente, temido por todos.

Dr. Igor se preocupou um instante — como antes se preocupara com o escudo do chaveiro — mas logo afastou o pensamento da cabeça: para o embaixador, tanto fazia que seu filho tivesse uma boa ou má aparência; não pretendia levá-lo a festas oficiais, ou fazer com que o acompanhasse pelos lugares do mundo para onde era designado como representante do Governo. Eduard estava em Villete — e ali continuaria para sempre, ou pelo tempo que o pai continuasse ganhando aqueles salários enormes.

Dr. Igor decidiu que retiraria a alimentação intravenosa, e deixaria Eduard definhar mais um pouco, até que tivesse, por ele mesmo, vontade de comer. Se

a situação piorasse, faria um relatório e passaria a responsabilidade ao conselho de médicos que administrava Villete. "Se você não quiser entrar em apuros, sempre divida a responsabilidade", lhe ensinara seu pai, também ele um médico que tivera várias mortes em suas mãos, mas nenhum problema com as autoridades.

Uma vez receitada a interrupção do medicamento de Eduard, Dr. Igor passou para o próximo caso: o relatório dizia que a paciente Zedka Mendel já terminara seu período de tratamento, e podia receber alta. Dr. Igor queria conferir com seus próprios olhos: afinal, nada pior para um médico que receber reclamações da família dos doentes que passavam por Villete. E isso quase sempre acontecia — depois de um período num hospital para doentes mentais, raramente um paciente conseguia adaptar-se novamente à vida normal.

Não era culpa do sanatório. Nem de nenhum de todos os sanatórios espalhados — só o bom Deus sabia — pelos quatro cantos do mundo, onde o problema de readaptação dos internos era exatamente igual. Assim como a prisão nunca corrigia o preso — apenas o ensinava a cometer mais crimes, os sanatórios faziam com que os doentes se acostumassem com um mundo totalmente irreal, onde tudo era permitido, e ninguém precisava ter responsabilidade por seus atos.

De modo que só restava uma saída: descobrir a cura para a Insanidade. E o Dr. Igor estava empenhado nisso até a raiz dos cabelos, desenvolvendo uma tese que iria revolucionar o meio psiquiátrico. Nos asilos, os doentes provisórios em convivência com pacientes

irrecuperáveis iniciavam um processo de degeneração social, que, uma vez começado, era impossível detê-lo. A tal Zedka Mendel terminaria voltando ao hospital — desta vez por vontade própria, queixando-se de males inexistentes, só para estar perto de pessoas que pareciam compreendê-la melhor que o mundo lá fora.

Se ele descobrisse, porém, como combater o Vitríolo — para o Dr. Igor, o veneno responsável pela loucura — seu nome entraria para a História, e a Eslovênia seria definitivamente colocada no mapa. Naquela semana, uma chance caída dos céus aparecera, sob a forma de uma suicida potencial; ele não estava disposto a desperdiçar esta oportunidade por nenhum dinheiro do mundo.

Dr. Igor ficou contente. Embora, por razões econômicas, ainda fosse obrigado a aceitar tratamentos que há muito tinham sido condenados pela medicina — como o choque de insulina — também por motivos financeiros, Villete estava inovando o tratamento psiquiátrico. Além de possuir tempo e elementos para a pesquisa do Vitríolo, ele ainda contava com o apoio dos donos para manter no asilo o grupo chamado de "A Fraternidade". Os acionistas da instituição tinham permitido que fosse tolerada — note bem, não encorajada, mas *tolerada* — uma internação maior do que o tempo necessário. Eles argumentavam que, por razões humanitárias, devia-se dar ao recém-curado a opção de decidir qual o melhor momento de reintegrar-se ao mundo, e isso permitira que um grupo de pessoas resolvesse permanecer em Villete, como em

um hotel seletivo, ou um clube onde se reúnem aqueles que têm algumas afinidades em comum. Assim, o Dr. Igor conseguia manter loucos e sãos no mesmo ambiente, fazendo com que os últimos influenciassem positivamente os primeiros. Para evitar que as coisas degenerassem — e os loucos terminassem contagiando negativamente os que tinham sido curados, todo membro da Fraternidade devia sair do sanatório pelo menos uma vez por dia.

Dr. Igor sabia que os motivos dados pelos acionistas para permitir a presença de pessoas curadas no asilo — "razões humanitárias", diziam — eram apenas uma desculpa. Eles tinham medo de que Lubljana, a pequena e charmosa capital da Eslovênia, não tivesse um número suficiente de loucos ricos, capazes de sustentar toda aquela estrutura cara e moderna. Além do mais, o sistema de saúde pública contava com asilos de primeira qualidade, o que deixava Villete em situação de desvantagem diante do mercado de problemas mentais.

Quando os acionistas transformaram o antigo quartel em sanatório, tinham como público alvo os possíveis homens e mulheres afetados pela guerra com a Iugoslávia. Mas a guerra durara muito pouco. Os acionistas apostaram que a guerra ia voltar, mas não voltou.

Depois, em recente pesquisa, descobriram que as guerras faziam suas vítimas mentais, mas em escala muito menor que a tensão, o tédio, as enfermidades congênitas, a solidão e a rejeição. Quando uma coletividade tinha um grande problema para enfrentar — como no caso de uma guerra, ou de uma hiperinflação, ou de uma peste — notava-se um pequeno aumento

no número de suicídios, mas uma grande diminuição nos casos de depressão, paranóia, psicoses. Estes voltavam a seus índices normais logo que tal problema havia sido ultrapassado, indicando — assim entendia o Dr. Igor — que o ser humano só se dá ao luxo de ser louco quando tem condições para isso.

Diante de seus olhos, estava outra pesquisa recente, desta vez vinda do Canadá — eleito recentemente por um jornal americano como o país do mundo onde o nível de vida era mais elevado. O Dr. Igor leu:

De acordo com a Statistics Canada, já sofreram algum tipo de doença mental:
40% das pessoas entre 15 e 34 anos;
33% das pessoas entre 35 e 54 anos;
20% das pessoas entre 55 e 64 anos.
Estima-se que um em cada cinco indivíduos sofra algum tipo de desordem psiquiátrica.
Um em cada oito canadenses será hospitalizado por distúrbios mentais pelo menos uma vez na vida.

"Excelente mercado, melhor que aqui", pensou. "Quanto mais felizes as pessoas podem ser, mais infelizes ficam."

Dr. Igor analisou mais alguns casos, ponderando cuidadosamente sobre os que devia dividir com o Conselho, e os que podia resolver sozinho. Quando terminou, o dia já tinha raiado por completo, e ele apagou a luz.

Em seguida mandou entrar a primeira visita — a mãe da tal paciente que tentara o suicídio.

— Sou a mãe de Veronika. Qual o estado de minha filha?

O Dr. Igor pensou se devia dizer a verdade, e poupá-la de surpresas inúteis — afinal de contas, tinha uma filha com o mesmo nome. Mas decidiu que era melhor ficar calado.

— Ainda não sabemos — mentiu. — Precisamos de mais uma semana.

— Não sei por que Veronika fez isso — dizia a mulher a sua frente, em prantos. — Nós somos pais carinhosos, tentamos dar a ela, à custa de muito sacrifício, a melhor educação possível. Embora tivéssemos nossos problemas conjugais, mantivemos nossa família unida, como exemplo de perseverança diante das adversidades. Ela tem um bom emprego, não é feia, e mesmo assim...

— ... e mesmo assim tentou matar-se — interrompeu o Dr. Igor. — Não fique surpresa, minha senhora, é assim mesmo. As pessoas são incapazes de entender a felicidade. Se desejar, posso lhe mostrar as estatísticas do Canadá.

— Canadá?

A mulher olhou-o com surpresa. Dr. Igor viu que havia conseguido distraí-la, e continuou.

— Veja bem: a senhora vem até aqui não para saber como vai sua filha, mas para desculpar-se pelo fato de que ela tentou cometer suicídio. Quantos anos ela tem?

— Vinte e quatro.

— Ou seja: uma mulher madura, vivida, que já sabe bem o que deseja, e é capaz de fazer suas escolhas. O que isso tem a ver com seu casamento, ou com o sacrifício que a senhora e seu marido fizeram? Há quanto tempo ela mora sozinha?

— Seis anos.

— Está vendo? Independente até a raiz da alma. Mesmo assim, porque um médico austríaco — Dr. Sigmund Freud, tenho certeza que a senhora já ouviu falar dele — escreveu sobre estas relações doentias entre pais e filhos, até hoje todo mundo se culpa de tudo. Os índios acham que o filho que se tornou assassino é uma vítima da educação de seus pais? Responda.

— Não tenho a menor idéia — respondeu a mulher, cada vez mais surpresa com o médico. Talvez ele tivesse sido contagiado pelos próprios pacientes.

— Pois eu vou lhe dizer a resposta — disse o Dr. Igor. — Os índios acham que o assassino é culpado, e não a sociedade, nem seus pais, nem seus antepassados. Os japoneses cometem suicídio porque um filho deles resolveu se drogar e sair atirando? A resposta também é a mesma: Não! E olha que, segundo me consta, os japoneses cometem suicídio por qualquer motivo; outro dia mesmo li uma notícia de que um jovem se matou porque não conseguiu passar no vestibular.

— Será que eu posso falar com a minha filha? — perguntou a mulher, que não estava interessada em japoneses, índios ou canadenses.

— Já, já — disse o Dr. Igor, meio irritado com a interrupção. — Mas antes, eu quero que a senhora entenda uma coisa: afora alguns casos patológicos graves, as pessoas enlouquecem quando tentam fugir da rotina. A senhora entendeu?

— Entendi muito bem — respondeu. — E se o senhor está achando que não serei capaz de cuidar dela, pode ficar tranqüilo: nunca tentei mudar a minha vida.

— Que bom — o Dr. Igor mostrava um certo alívio. — A senhora já imaginou um mundo onde, por exemplo, não fôssemos obrigados a repetir todos os dias de nossas vidas a mesma coisa? Se resolvêssemos, por exemplo, comer só na hora em que tivéssemos fome: como as donas de casa e os restaurantes se organizariam?

"Seria mais normal comer só quando estivéssemos com fome", pensou a mulher, que não disse nada, com medo que lhe proibissem falar com Veronika.

— Seria uma confusão muito grande — disse ela. — Eu sou dona de casa, e sei do que está falando.

— Então temos o café da manhã, o almoço, o jantar. Temos que acordar em determinada hora todos os dias, e descansar uma vez por semana. Existe o Natal para dar presentes, a páscoa para passar três dias no lago. A senhora ficaria contente se o seu marido, só porque foi tomado de um súbito impulso de paixão, resolvesse fazer amor na sala?

"De que este homem está falando? Eu vim aqui ver minha filha!"

— Ficaria triste — respondeu ela, com todo cuidado, esperando ter acertado.

— Muito bem — bradou o Dr. Igor. — Lugar de fazer amor é na cama. Senão, estaremos dando mau exemplo e disseminando a anarquia.

— Posso ver minha filha? — interrompeu a mulher.

O Dr. Igor resignou-se; esta camponesa nunca ia entender do que estava falando, não estava interessada em discutir a loucura do ponto de vista filosófico —

mesmo sabendo que sua filha tentara o suicídio para valer, e entrara em coma.

Tocou uma campainha, e sua secretária apareceu.

— Mande chamar a moça do suicídio — disse. — Aquela da carta aos jornais, dizendo que se matava para mostrar onde era a Eslovênia.

— Não quero vê-la. Eu já cortei os meus laços com o mundo.

Fora difícil dizer isso ali na sala de estar, na presença de todo mundo. Mas o enfermeiro tampouco fora discreto, e avisara em voz alta que sua mãe a estava esperando — como se fosse um assunto que interessasse a todos.

Não queria ver a mãe porque as duas iam sofrer. Era melhor que já a considerasse morta; Veronika sempre odiara as despedidas.

O homem desapareceu por onde viera, e ela voltou a olhar as montanhas. Depois de uma semana, o sol tinha finalmente retornado — e ela já sabia isso desde a noite anterior, porque a lua lhe dissera, enquanto tocava piano.

"Não, isso é loucura, estou perdendo o controle. Os astros não falam — exceto para aqueles que se dizem astrólogos. Se a lua conversou com alguém, foi com aquele esquizofrênico."

Mal terminara de pensar isso, sentiu uma pontada no peito, e um braço ficou dormente. Veronika viu o teto rodar: o ataque de coração!

Entrou numa espécie de euforia, como se a morte a libertasse do medo de morrer. Pronto, estava tudo acabado! Talvez sentisse alguma dor, mas o que eram cinco minutos de agonia, em troca de uma eternidade

em silêncio? A única atitude que tomou foi a de fechar os olhos: o que mais lhe horrorizava era ver, nos filmes, os mortos de olhos abertos.

Mas o ataque de coração parecia ser diferente daquilo que imaginara; a respiração começou a ficar difícil, e, horrorizada, Veronika começou a descobrir que estava prestes a experimentar o pior de seus medos: a asfixia. Ia morrer como se estivesse sendo enterrada viva, ou fosse puxada de repente para o fundo do mar.

Cambaleou, caiu, sentiu a pancada forte no rosto, continuou fazendo um esforço gigantesco para respirar — mas o ar não entrava. Pior que tudo, a morte não vinha, estava inteiramente consciente do que se passava a sua volta, continuava vendo as cores e as formas. Tinha dificuldade apenas de escutar o que os outros diziam — os gritos e as exclamações pareciam distantes, como se vindos de um outro mundo. Afora isso, tudo o mais era real, o ar não vinha, simplesmente não obedecia aos comandos dos seus pulmões e de seus músculos — e a consciência não ia embora.

Sentiu que alguém a pegava e a virava de costas — mas agora havia perdido o controle do movimento dos olhos, e eles rodopiavam, enviando centenas de imagens diferentes ao seu cérebro, misturando a sensação de sufocamento com uma completa confusão visual.

Aos poucos as imagens foram ficando também distantes — e, quando a agonia atingiu seu ponto máximo, o ar finalmente entrou, emitindo um ruído

tremendo, que fez com que todos na sala ficassem paralisados de medo.

Veronika começou a vomitar descontroladamente. Passado o momento da quase tragédia, alguns loucos começaram a rir da cena — e ela sentia-se humilhada, perdida, incapaz de reagir.

Um enfermeiro entrou correndo, e aplicou-lhe uma injeção no braço.

— Fique tranqüila. Já passou.

— Eu não morri! — ela começou a gritar, avançando em direção aos internos, e sujando o chão e os móveis com seu vômito. — Eu continuo nesta droga de hospício, sendo obrigada a conviver com vocês! Vivendo mil mortes a cada dia, a cada noite — sem que ninguém tenha misericórdia de mim!

Virou-se para o enfermeiro, arrancou a seringa de sua mão e atirou-a em direção ao jardim.

— O que você quer? Por que não me aplica veneno, sabendo que eu já estou mesmo condenada? Onde estão seus sentimentos?

Sem conseguir controlar-se, tornou a sentar no chão e começou a chorar compulsivamente, gritando, soluçando alto, enquanto alguns dos internos riam e comentavam sobre sua roupa toda suja.

— Dê-lhe um calmante! — disse uma médica, entrando às pressas. — Controle esta situação!

O enfermeiro, porém, estava paralisado. A médica tornou a sair, voltando com mais dois enfermeiros, e uma nova seringa. Os homens agarraram a criatura histérica que se debatia no meio da sala, enquanto a médica aplicava até a última gota de calmante na veia de um braço imundo.

Estava no consultório do Dr. Igor, deitada em uma cama imaculadamente branca, com o lençol novo.

Ele escutava seu coração. Ela fingiu que ainda estava dormindo, mas algo dentro do peito havia mudado, porque o médico falou com a certeza de que estava sendo ouvido.

— Fique tranqüila — disse. — Com a saúde que você tem, pode viver cem anos.

Veronika abriu os olhos. Alguém havia trocado sua roupa. Teria sido o Dr. Igor? Ele a vira nua? Sua cabeça não estava funcionando direito.

— O que o senhor disse?

— Falei que ficasse tranqüila.

— Não. O senhor disse que eu ia viver cem anos. O médico foi até sua escrivaninha.

— O senhor disse que eu ia viver cem anos — insistiu Veronika.

— Na medicina, nada é definitivo — disfarçou o Dr. Igor. — Tudo é possível.

— Como está o meu coração?

— Igual.

Então não precisava mais nada. Os médicos, diante de um caso grave, dizem "você vai conseguir viver cem anos", ou "não é nada sério", ou "você tem um coração e uma pressão de menino", ou ainda

93

"precisamos refazer os exames". Parece que temem que o paciente vá quebrar o consultório inteiro.

Ela tentou levantar-se, mas não conseguiu: a sala inteira começara a rodar.

— Fique aí mais um pouco, até sentir-se melhor. Você não está me incomodando.

Que bom, pensou Veronika. Mas, e se estivesse?

Como experiente médico que era, Dr. Igor permaneceu em silêncio algum tempo, fingindo-se interessado nos papéis que estavam em sua mesa. Quando estamos diante de outra pessoa, e ela não diz nada, a situação torna-se irritante, tensa, insuportável. O Dr. Igor tinha a esperança que a menina começasse a falar — e ele pudesse colher mais dados para a sua tese sobre a loucura, e o método de cura que estava desenvolvendo.

Mas Veronika não disse uma palavra. "Talvez já esteja num grau de envenenamento muito grande pelo Vitríolo", pensou o Dr. Igor, enquanto resolvia quebrar o silêncio — que estava se tornando tenso, irritante, insuportável.

— Parece que você gosta de tocar piano — disse ele, procurando ser o mais casual possível.

— E os loucos gostam de ouvir. Ontem teve um que ficou grudado, escutando.

— Eduard. Ele comentou com alguém que tinha adorado. Quem sabe, volta a alimentar-se como uma pessoa normal.

— Um esquizofrênico gosta de música? E comenta isso com os outros?

— Sim. E aposto que você não tem a menor idéia do que está dizendo.

Aquele médico — que mais parecia um paciente, com seus cabelos tingidos de preto — tinha razão. Veronika escutara a palavra muitas vezes, mas não tinha idéia do que significava.

— Tem cura? — quis saber, tentando ver se conseguia mais informações sobre os esquizofrênicos.

— Tem controle. Ainda não se sabe direito o que se passa no mundo da loucura: tudo é novo, e os processos mudam a cada década. Um esquizofrênico é uma pessoa que já tem uma tendência natural para ausentar-se deste mundo, até que um fato — grave ou superficial, dependendo do caso de cada um — faz com que crie uma realidade só para ele. O caso pode evoluir até a ausência completa — que nós chamamos de catatonia — ou pode ter melhoras, permitindo ao paciente trabalhar, levar uma vida praticamente normal. Depende de uma coisa só: o ambiente.

— Criar uma realidade só para ele — repetiu Veronika. — O que é a realidade?

— É o que a maioria achou que devia ser. Não necessariamente o melhor, nem o mais lógico, mas o que se adaptou ao desejo coletivo. Você está vendo o que tenho no pescoço?

— Uma gravata.

— Muito bem. Sua resposta é lógica, coerente com uma pessoa absolutamente normal: uma gravata!

"Um louco, porém, diria que eu tenho no pescoço um pano colorido, ridículo, inútil, amarrado de uma maneira complicada, que termina dificultando os movimentos da cabeça e exigindo um esforço maior para que o ar possa entrar nos pulmões. Se eu me

distrair quando estiver perto de um ventilador, posso morrer estrangulado por este pano.

"Se um louco me perguntar para que serve uma gravata, eu terei que responder: para absolutamente nada. Nem mesmo para enfeitar, porque hoje em dia ela tornou-se o símbolo de escravidão, poder, distanciamento. A única utilidade da gravata consiste em chegar em casa e retirá-la, dando a sensação de que estamos livres de alguma coisa que nem sabemos o que é.

"Mas sensação de alívio justifica a existência da gravata? Não. Mesmo assim, se eu perguntar para um louco e para uma pessoa normal o que é isso, será considerado são aquele que responder: uma gravata. Não importa quem está certo — importa quem tem razão."

— Donde o senhor conclui que eu não sou louca, pois dei o nome certo ao pano colorido.

Nao, você não é louca, pensou o Dr. Igor, uma autoridade no assunto, com vários diplomas pendurados na parede de seu consultório. Atentar contra a própria vida era próprio do ser humano — conhecia muita gente que fazia isso, e mesmo assim continuava lá fora, aparentando inocência e normalidade, apenas porque não tinham escolhido o escandaloso método do suicídio. Matavam-se aos poucos, envenenando-se com aquilo que o Dr. Igor chamava de Vitríolo.

O Vitríolo era um produto tóxico, cujos sintomas ele havia identificado em suas conversas com os homens e mulheres que conhecia. Estava agora escrevendo uma tese sobre o assunto, que submeteria à Academia de Ciências da Eslovênia para estudo. Era o passo mais importante no terreno da insanidade, desde que o

Dr. Pinel mandara retirar as correntes que aprisionavam os doentes, estarrecendo o mundo da medicina com a idéia de que alguns deles tinham possibilidade de cura.

Assim como a libido — uma reação química responsável pelo desejo sexual que o Dr. Freud reconhecera, mas nenhum laboratório fora jamais capaz de isolar, o Vitríolo era destilado pelos organismos de seres humanos que se encontravam em situação de medo — embora ainda passasse despercebido nos modernos testes de espectrografia. Mas era facilmente reconhecido pelo seu sabor, que não era nem doce nem salgado — o sabor amargo. Dr. Igor — descobridor ainda não reconhecido deste veneno mortal — batizara-o com o nome de um veneno que fora muito utilizado no passado por imperadores, reis, e amantes de todos os tipos, quando precisavam afastar definitivamente uma pessoa incômoda.

Bons tempos aqueles, de imperadores e reis: naquela época vivia-se e morria-se com romantismo. O assassino convidava a vítima para um belo jantar, o garçom entrava com duas taças lindas, uma delas com Vitríolo misturado na bebida: quanta emoção despertavam os gestos da vítima — pegando a taça, dizendo algumas palavras doces ou agressivas, bebendo como se fosse mais um drinque saboroso, olhando surpresa para o anfitrião, e caindo fulminada no solo!

Mas este veneno, hoje caro e difícil de encontrar no mercado, foi substituído por processos mais seguros de extermínio — como revólveres, bactérias, etc. Dr. Igor, um romântico por natureza, resgatara o nome quase esquecido para batizar a doença de alma que ele conseguira diagnosticar, e cuja descoberta em breve assustaria o mundo.

Era curioso que ninguém jamais tivesse se referido ao Vitríolo como um tóxico mortal, embora a maioria das pessoas afetadas identificasse seu sabor, e se referisse ao processo de envenenamento como *Amargura*. Todos os seres tinham Amargura em seu organismo — em maior ou menor grau — assim como quase todos temos o bacilo da tuberculose. Mas estas duas doenças só atacam quando o paciente acha-se debilitado; no caso da Amargura, o terreno para o surgimento da doença aparece quando se cria o medo da chamada "realidade".

Certas pessoas, no afã de querer construir um mundo onde nenhuma ameaça externa pudesse penetrar, aumentam exageradamente suas defesas contra o exterior — gente estranha, novos lugares, experiências diferentes — e deixam o interior desguarnecido. É a partir daí que a Amargura começa a causar danos irreversíveis.

O grande alvo da Amargura (ou Vitríolo, como preferia o Dr. Igor) era a vontade. As pessoas atacadas deste mal iam perdendo o desejo de tudo, e em poucos anos já não conseguiam sair de seu mundo — pois tinham gasto enormes reservas de energia construindo altas muralhas para que a realidade fosse aquilo que desejavam que fosse.

Ao evitar o ataque externo, tinham também limitado o crescimento interno. Continuavam indo ao trabalho, vendo televisão, reclamando do trânsito e tendo filhos, mas tudo isso acontecia automaticamente, e sem qualquer grande emoção interior — porque, afinal, tudo estava sob controle.

O grande problema do envenenamento por Amargura era que as paixões — ódio, amor, desespero, entusiasmo, curiosidade — também não se manifestavam mais. Depois de algum tempo, já não restava ao

amargo qualquer desejo. Não tinham vontade nem de viver, nem de morrer, este era o problema.

Por isso, para os amargos, os heróis e os loucos eram sempre fascinantes: eles não tinham medo de viver ou morrer. Tanto os heróis como os loucos eram indiferentes diante do perigo, e seguiam adiante apesar de todos dizerem para não fazerem aquilo. O louco se suicidava, o herói se oferecia ao martírio em nome de uma causa — mas ambos morriam, e os amargos passavam muitas noites e dias comentando o absurdo e a glória dos dois tipos. Era o único momento em que o amargo tinha força para galgar sua muralha de defesa e olhar um pouquinho para fora; mas logo as mãos e os pés cansavam, e ele voltava para a vida diária.

O amargo crônico só notava a sua doença uma vez por semana: nas tardes de domingo. Ali, como não tinha o trabalho ou a rotina para aliviar os sintomas, percebia que alguma coisa estava muito errada — já que a paz daquelas tardes era infernal, o tempo não passava nunca, e uma constante irritação manifestava-se livremente.

Mas a segunda-feira chegava, e o amargo logo esquecia os seus sintomas — embora blasfemasse contra o fato de que nunca tinha tempo para descansar, e reclamasse que fins de semana passavam muito rápido.

A única grande vantagem da doença, do ponto de vista social, é que já se transformara numa regra;

portanto, a internação não se fazia mais necessária — exceto nos casos onde a intoxicação era tão forte que o comportamento do doente começava a afetar os outros. Mas a maioria dos amargos podiam continuar lá fora, sem constituir ameaça à sociedade ou aos outros, já que — por causa das altas muralhas construídas ao redor de si mesmos — estavam totalmente isolados do mundo, embora parecessem partilhar dele.

O Dr. Sigmund Freud descobrira a libido e a cura para os problemas causados por ela — inventando a psicanálise. Além de descobrir a existência do Vitríolo, o Dr. Igor precisava provar que, também neste caso, a cura era possível. Queria deixar seu nome na história da medicina, embora não se iludisse quanto às dificuldades que teria que enfrentar para impor suas idéias — já que os "normais" estavam contentes com suas vidas, e jamais admitiriam sua doença, enquanto os "doentes" movimentavam uma gigantesca indústria de asilos, laboratórios, congressos, etc.

"Sei que o mundo não reconhecerá agora meu esforço", disse para si mesmo, orgulhoso de ser incompreendido. Afinal, este era o preço que os gênios precisavam pagar.

— O que aconteceu com o senhor? — perguntou a moça a sua frente. — Parece que entrou no mundo de seus pacientes.

Dr. Igor ignorou o comentário desrespeitoso.

— Você pode ir agora — disse.

Veronika não sabia se era dia ou noite — o Dr. Igor estava com a luz acesa, mas ele fazia isso todas as manhãs. Entretanto, ao chegar no corredor, viu a lua, e deu-se conta que dormira mais tempo do que o que imaginara.

No caminho para a enfermaria, reparou uma foto emoldurada na parede: era a praça central de Lubljana, ainda sem a estátua do poeta Prešeren, mostrando casais passeando — provavelmente num domingo.

Verificou a data da foto: verão de 1910.

Verão de 1910. Ali estavam aquelas pessoas, cujos filhos e netos já tinham morrido, capturadas num momento de suas vidas. As mulheres usavam pesados vestidos, e os homens estavam todos de chapéu, paletó, gravata (ou pano colorido, como chamavam os loucos), polainas e guarda-chuva no braço.

E o calor? A temperatura devia ser a mesma dos verões de hoje, 35° à sombra. Se chegasse um inglês de bermudas e mangas de camisa — vestimenta muito mais apropriada para o calor — o que estas pessoas pensariam?

"Um louco."

Tinha entendido perfeitamente bem o que o Dr. Igor quisera dizer. Da mesma maneira, entendia

que sempre tivera em sua vida muito amor, carinho, proteção, mas lhe faltara um elemento para tornar tudo isto em uma bênção: devia ter sido um pouco mais louca.

Seus pais continuariam a amá-la de qualquer maneira, mas ela não ousara pagar o preço de seu sonho, com medo de feri-los. Aquele sonho que estava enterrado no fundo de sua memória, embora vez por outra fosse despertado num concerto, ou num belo disco que escutava ao acaso. Entretanto, sempre que o seu sonho era despertado, o sentimento de frustração era tão grande, que ela logo o fazia adormecer de novo.

Veronika sabia, desde criança, qual era sua verdadeira vocação: ser pianista!

Sentira isso desde a primeira aula, com doze anos de idade. Sua professora também percebera seu talento, e a incentivara a tornar-se uma profissional. Entretanto, quando — contente com um concurso que acabara de ganhar — dissera à mãe que ia largar tudo para dedicar-se apenas ao piano, ela a olhara com carinho, e respondera: "ninguém vive de tocar piano, meu amor."

"Mas você me fez ter aulas!"

"Para desenvolver seus dons artísticos, só isso. Os maridos apreciam, e você pode destacar-se nas festas. Esqueça esta história de ser pianista, e vá estudar advocacia: esta é a profissão do futuro."

Veronika fizera o que a mãe pedira, certa de que ela tinha experiência suficiente para *entender o que era realidade*. Terminou os estudos, entrou na faculdade, saiu da faculdade com um diploma e notas altas — mas só conseguiu um emprego de bibliotecária.

"Devia ter sido mais louca." Mas — como devia acontecer com a maioria das pessoas — descobrira tarde demais.

Virou-se para continuar seu caminho, quando alguém segurou-a no braço. O poderoso calmante que lhe haviam aplicado ainda corria em suas veias, por isso não reagiu quando Eduard, o esquizofrênico, delicadamente começou a conduzi-la numa direção diferente — para a sala de estar.

A lua continuava em quarto crescente, e Veronika já se sentara ao piano — o pedido silencioso de Eduard — quando começou a ouvir uma voz que vinha do refeitório. Alguém que falava com sotaque estrangeiro, e Veronika não se lembrava de ter escutado aquele sotaque em Villete.

— Não quero tocar piano agora, Eduard. Quero saber o que está acontecendo no mundo, o que conversam aqui ao lado, que homem estranho é esse.

Eduard sorria, talvez sem entender uma só palavra do que estava dizendo. Mas ela lembrou-se do Dr. Igor: os esquizofrênicos podiam entrar e sair de suas realidades separadas.

— Eu vou morrer — continuou, na esperança de que suas palavras fizessem sentido. — A morte roçou suas asas no meu rosto hoje, e deve estar batendo na minha porta amanhã, ou depois. Você não deve se acostumar a escutar um piano todas as noites.

"Ninguém pode se acostumar com nada, Eduard. Veja só: eu estava gostando de novo do sol, das monta-

nhas, dos problemas — estava mesmo aceitando que a falta de sentido da vida não era culpa de ninguém, exceto minha. Queria de novo ver a praça de Lubljana, sentir ódio e amor, desespero e tédio, todas estas coisas simples e tolas que fazem parte do cotidiano, mas que dão gosto à existência. Se algum dia pudesse sair daqui, iria permitir-me ser louca, porque todo mundo é — e piores são aqueles que não sabem que são, porque ficam repetindo apenas o que os outros mandam.

"Mas nada disso é possível, entendeu? Da mesma maneira, você não pode passar o dia inteiro esperando que venha a noite, e que uma das internas toque piano — porque isso acabará logo. Meu mundo e o seu estão no final."

Levantou-se, tocou carinhosamente no rosto do rapaz, e foi até o refeitório.

Ao abrir a porta, deparou-se com uma cena insólita; as mesas e cadeiras tinham sido empurradas para a parede, formando um grande espaço vazio no centro. Ali, sentados no chão, estavam os membros da Fraternidade, escutando um homem de terno e gravata.

— ... então convidaram o grande mestre da tradição sufi, Nasrudin, para dar uma palestra — dizia ele.

Quando a porta se abriu, todos na sala olharam para Veronika. O homem de terno virou-se para ela.

— Sente-se.

Ela sentou-se no chão, junto à senhora de cabelos brancos, Mari — que fora tão agressiva em seu primeiro encontro. Para sua surpresa, Mari deu um sorriso de boas-vindas.

O homem de terno continuou:

— Nasrudin marcou a conferência para as duas horas da tarde, e foi um sucesso: os mil lugares foram todos vendidos, e ficaram mais de seiscentas pessoas do lado de fora, acompanhando a palestra por um circuito fechado de televisão.

"Às duas em ponto, entrou um assistente de Nasrudin, dizendo que, por motivo de força maior, a palestra ia atrasar. Alguns levantaram-se indignados, pediram a devolução do dinheiro, e saíram. Mesmo assim ainda continuou muita gente dentro e fora da sala.

"A partir das quatro da tarde, o mestre sufi ainda não tinha aparecido, e as pessoas foram — pouco a pouco — deixando o local, e pegando seu dinheiro de volta: afinal de contas, o expediente de trabalho estava terminando, era chegado o momento de voltar para casa. Quando deu seis horas, os 1.700 espectadores originais estavam reduzidos a menos de cem.

"Neste momento, Nasrudin entrou. Parecia completamente bêbado, e começou a dizer gracinhas a uma bela jovem que sentara-se na primeira fila.

"Passada a surpresa, as pessoas começaram a ficar indignadas: como, depois de esperar quatro horas seguidas, esse homem se comportava de tal maneira? Alguns murmúrios de desaprovação se fizeram ouvir, mas o mestre sufi não deu nenhuma importância: continuou, aos brados, a dizer como a menina era *sexy*, e convidou-a para viajar com ele para a França."

Que mestre, pensou Veronika. Ainda bem que nunca acreditei nestas coisas.

"Depois de dizer alguns palavrões contra as pessoas que reclamavam, Nasrudin tentou levantar-se e caiu pesadamente no chão. Revoltadas, as pessoas resolveram ir embora, dizendo que tudo aquilo não

passava de charlatanismo, que iriam aos jornais denunciar o espetáculo degradante.

"Nove pessoas continuaram na sala. E, assim que o grupo de revoltados deixou o recinto, Nasrudin levantou-se; estava sóbrio, seus olhos irradiavam luz, e havia em torno dele uma aura de respeitabilidade e sabedoria. 'Vocês que estão aqui são os que têm que me ouvir', disse. 'Passaram pelos dois testes mais duros no caminho espiritual: a paciência para esperar o momento certo, e a coragem de não se decepcionar com o que encontraram. A vocês eu vou ensinar.'

"E Nasrudin compartilhou com eles algumas das técnicas sufi."

O homem fez uma pausa, e tirou uma flauta estranha do bolso.

— Vamos agora descansar um pouco, e depois faremos a nossa meditação.

O grupo ficou de pé. Veronika não sabia o que fazer.

— Levante-se também — disse Mari, pegando-a pela mão. — Temos cinco minutos de recreio.

— Vou embora, não quero atrapalhar.

Mari levou-a para um canto.

— Será que você não aprendeu nada, nem mesmo com a proximidade da morte? Pare de pensar o tempo todo que está causando algum constrangimento, que está perturbando seu próximo! Se as pessoas não gostarem, elas reclamarão! E se não tiverem coragem de reclamar, o problema é delas!

— Aquele dia, quando me aproximei de vocês, estava fazendo algo que nunca ousara antes.

— E se deixou acovardar com uma mera brincadeira de loucos. Por que não continuou adiante? O que tinha a perder?

— Minha dignidade. Estar onde não sou bem-vinda.

— O que é dignidade? É querer que todo mundo ache que você é boa, bem-comportada, cheia de amor ao próximo? Respeite a natureza; veja mais filmes de animais, e repare como eles lutam por seu espaço. Todos nós ficamos contentes com aquele tapa que você deu.

Veronika não tinha mais tempo para lutar por nenhum espaço, e mudou de assunto; perguntou quem era aquele homem.

— Está melhorando —, riu Mari. — Faz perguntas, sem medo de que pensem que é indiscreta. Este homem é um mestre sufi.

— O que quer dizer *sufi*?

— Lã.

Veronika não entendeu. Lã?

— O sufismo é uma tradição espiritual dos dervixes, onde os mestres não procuram mostrar sabedoria, e os discípulos dançam, rodopiam, e entram em transe.

— Para que serve isso?

— Não estou bem certa; mas nosso grupo resolveu viver todas as experiências proibidas. Durante toda a minha vida, o governo nos educou dizendo que a busca espiritual existia apenas para afastar o homem dos seus problemas reais. Agora me responda o seguinte: você não acha que tentar entender a vida é um problema real?

Sim. Era um problema real. Além do mais, já não tinha mais certeza do que a palavra *realidade* queria dizer.

O homem de terno — um mestre sufi, segundo Mari — pediu que todos sentassem em círculo. De um dos vasos do refeitório, tirou todas as flores — com exceção de uma rosa vermelha — e colocou-o no centro do grupo.

— Veja o que conseguimos — disse Veronika para Mari. — Algum louco resolveu que era possível criar flores no inverno, e hoje em dia temos rosas o ano inteiro, em toda a Europa. Você acha que um mestre sufi, com todo o seu conhecimento, é capaz de fazer isso?

Mari pareceu adivinhar seu pensamento.

— Deixe as críticas para depois.

— Tentarei. Porque tudo que tenho é o presente, por sinal, muito curto.

— É tudo que todo mundo tem, e é sempre muito curto — embora alguns achem que possuem um passado, onde acumularam coisas, e um futuro, onde acumularão ainda mais. Por sinal, falando em momento presente, você já se masturbou muito?

Embora o calmante ainda estivesse fazendo efeito, Veronika lembrou-se da primeira frase que escutara em Villete.

— Quando eu entrei em Villete, ainda cheia de tubos de respiração artificial, ouvi claramente alguém me perguntar se queria ser masturbada. Que é isso? Por que vivem pensando nestas coisas aqui?

— Aqui e lá fora. Só que, no nosso caso, não precisamos esconder.

— Foi você quem me perguntou?

— Não. Mas acho que devia saber até onde pode ir seu prazer. Da próxima vez, com um pouco de paciência, poderá levar o seu parceiro até lá, ao invés

de ficar sendo guiada por ele. Mesmo que só lhe restem dois dias de vida, acho que não deve partir daqui sem saber aonde poderia ter chegado.

— Só se for com o esquizofrênico que me está esperando para escutar piano.

— Pelo menos, ele é um homem bonito.

O homem de terno pediu silêncio, interrompendo a conversa. Mandou que todos se concentrassem na rosa, e esvaziassem suas mentes.

— Os pensamentos vão voltar, mas procurem evitá-los. Vocês têm duas escolhas: dominar suas mentes, ou serem dominados por ela. Já viveram esta segunda alternativa — deixaram-se levar pelos medos, neuroses, insegurança — porque o homem tem esta tendência à autodestruição.

"Não confundam a loucura com a perda de controle. Lembrem-se que, na tradição sufi, o principal mestre — Nasrudin — é o que todos chamam de louco. E justamente porque a sua cidade o considera insano, Nasrudin tem a possibilidade de dizer tudo o que pensa, e fazer o que lhe dá vontade. Assim era com os bobos da corte, na época medieval; podiam alertar o rei sobre todos os perigos que os ministros não ousavam comentar, porque temiam perder os seus cargos.

"Assim deve ser com vocês; mantenham-se loucos, mas comportem-se como pessoas normais. Corram o risco de serem diferentes — mas aprendam a fazer isso sem chamar a atenção. Concentrem-se nesta flor, e deixem que o verdadeiro Eu se manifeste."

— O que é o verdadeiro Eu? — interrompeu Veronika. Talvez todos ali soubessem, mas isso não

importava: ela devia preocupar-se menos com a história de incomodar os outros.

O homem pareceu surpreso com a interrupção, mas respondeu:

— É aquilo que você é, não o que fizeram de você.

Veronika resolveu fazer o exercício, empenhando-se ao máximo para descobrir quem era. Nestes dias em Villete, sentira coisas que nunca havia experimentado com tanta intensidade — ódio, amor, desejo de viver, medo, curiosidade. Talvez Mari tivesse razão: será que conhecia mesmo o orgasmo? Ou só tinha chegado até onde os homens a quiseram levar?

O senhor de terno começou a tocar a flauta. Aos poucos a música foi acalmando sua alma, e ela conseguiu fixar-se na rosa. Podia ser o efeito do calmante, mas o fato é que, desde que saíra do consultório do Dr. Igor, sentia-se muito bem.

Sabia que ia morrer logo: para que sentir medo? Não ajudaria em nada, nem evitaria o ataque fatídico do coração; o melhor era aproveitar os dias, ou horas que restavam, fazendo o que nunca tinha feito.

A música vinha suave, e a luz embaçada do refeitório criara uma atmosfera quase religiosa. Religião: por que não tentava mergulhar dentro de si, e ver o que sobrara de suas crenças e de sua fé?

Porque a música a conduzia para um outro lado: esvaziar a cabeça, deixar de refletir sobre tudo, e apenas SER. Veronika entregou-se, contemplou a rosa, viu quem era, gostou, e ficou com pena de ter sido tão precipitada.

Quando a meditação terminou e o mestre sufi partiu, Mari ainda ficou um pouco no refeitório, conversando com a Fraternidade. A menina queixou-se de cansaço e foi logo embora — afinal, o calmante que tomara aquela manhã era forte o bastante para fazer dormir um touro, e mesmo assim ela conseguira forças para ficar acordada até aquela hora.

"Juventude é assim mesmo, estabelece os próprios limites sem perguntar se o corpo agüenta. E o corpo sempre agüenta."

Mari estava sem sono; tinha dormido até tarde, depois resolveu dar um passeio em Lubljana — Dr. Igor exigia que os membros da Fraternidade saíssem de Villete todo dia. Fora ao cinema, e tornara a dormir na poltrona, com um filme aborrecidíssimo sobre conflitos entre marido e mulher. Será que não tinham outro tema? Por que repetir sempre as mesmas histórias — marido com amante, marido com mulher e filho doente, marido com mulher, amante e filho doente? Havia coisas mais importantes no mundo para contar.

A conversa no refeitório durou pouco; a meditação relaxara o grupo, e todos resolveram voltar para os

dormitórios — menos Mari, que saiu para dar um passeio no jardim. No caminho, passou pela sala de estar e viu que a menina não tinha ainda conseguido ir até o quarto: estava tocando para Eduard, o esquizofrênico, que possivelmente ficara esperando todo este tempo ao lado do piano. Os loucos, como as crianças, só arredavam o pé depois de verem seus desejos satisfeitos.

O ar estava gelado. Mari voltou, apanhou um agasalho e tornou a sair. Lá fora, longe dos olhos de todos, acendeu um cigarro. Fumou sem culpa e sem pressa, refletindo sobre a menina, o piano que escutava, e a vida do lado de fora dos muros de Villete — que estava ficando insuportavelmente difícil para todo mundo.

Na opinião de Mari, esta dificuldade não se devia ao caos, ou à desorganização, ou à anarquia — e sim ao excesso de ordem. A sociedade tinha cada vez mais regras — e leis para contrariar as regras — e novas regras para contrariar as leis; isso deixava as pessoas assustadas, e elas já não davam um passo sequer fora do regulamento invisível que guiava a vida de todos.

Mari entendia do assunto; passara quarenta anos de sua vida trabalhando como advogada, até que sua doença a trouxera a Villete. Logo no início de sua carreira, perdera rapidamente a ingênua visão da Justiça, e passara a entender que as leis não haviam sido criadas para resolver problemas, e sim para prolongar indefinidamente uma briga.

Pena que Allah, Jeovah, Deus — não importa que nome lhe dessem — não tivesse vivido no mundo de

hoje. Porque, se assim fosse, nós todos ainda estaríamos no Paraíso, enquanto Ele estaria ainda respondendo a recursos, apelos, rogatórias, precatórias, mandados de segurança, liminares — e teria que explicar em inúmeras audiências sua decisão de expulsar Adão e Eva do Paraíso — apenas por transgredir uma lei arbitrária, sem nenhum fundamento jurídico: não comer o fruto do Bem e do Mal.

Se Ele não queria que isso acontecesse, por que colocou a tal árvore no meio do Jardim — e não fora dos muros do Paraíso? Se fosse chamada para defender o casal, Mari seguramente acusaria Deus de "omissão administrativa", porque, além de colocar a árvore em lugar errado, não a cercou com avisos, barreiras, deixando de adotar os mínimos requisitos de segurança, e expondo todos que passavam ao perigo.

Mari também podia acusá-lo de "indução ao crime": chamou a atenção de Adão e Eva para o exato local onde se encontrava. Se não tivesse dito nada, gerações e gerações passariam por esta Terra sem que ninguém se interessasse pelo fruto proibido — já que devia estar numa floresta, cheia de árvores iguais, e portanto sem nenhum valor específico.

Mas Deus não agira assim. Pelo contrário, escreveu a lei e achou um jeito de convencer alguém a transgredi-la, só para poder inventar o Castigo. Sabia que Adão e Eva terminariam entediados com tanta coisa perfeita, e — mais cedo ou mais tarde — iriam testar Sua paciência. Ficou ali esperando, porque talvez também Ele — Deus Todo-Poderoso — estava entediado com as coisas funcionando perfeitamente: se Eva não tivesse comido a maçã, o que teria acontecido de interessante nestes bilhões de anos?

Nada.

Quando a lei foi violada, Deus — o Juiz Todo-Poderoso — ainda simulara uma perseguição, como se não conhecesse todos os esconderijos possíveis. Com os anjos olhando e divertindo-se com a brincadeira (a vida para eles também devia ser muito aborrecida, desde que Lúcifer deixara o Céu), Ele começou a caminhar. Mari imaginava como aquele trecho da Bíblia daria uma bela cena num filme de suspense: os passos de Deus, os olhares assustados que o casal trocava entre si, os pés que subitamente paravam ao lado do esconderijo.

"Onde estás?", perguntara Deus.

"Ouvi seu passo no jardim, tive medo e me escondi, porque estou nu", respondera Adão, sem saber que, a partir desta afirmação, passava a ser réu confesso de um crime.

Pronto. Através de um simples truque, em que aparentava não saber onde Adão estava, nem o motivo de sua fuga, Deus conseguira o que desejava. Mesmo assim, para não deixar nenhuma dúvida à platéia de anjos que assistia atentamente o episódio, Ele resolvera ir mais adiante.

"Como sabes que estás nu?", dissera Deus, sabendo que esta pergunta só teria uma resposta possível: *porque comi da árvore que me permite entender isso.*

Com aquela pergunta, Deus mostrou aos seus anjos que era justo, e estava condenando o casal com base em todas as provas existentes. A partir dali, não importava mais saber se a culpa era da mulher, nem pedir para ser perdoado; Deus precisava de um exemplo, de modo que nenhum outro ser — terrestre ou celeste — tivesse de novo o atrevimento de ir contra Suas decisões.

Deus expulsou o casal, seus filhos terminaram pagando também pelo crime (como acontece até hoje com os filhos de criminosos), e o sistema judiciário fora inventado: lei, transgressão da lei (lógica ou absurda não tinha importância), julgamento (onde o mais experiente vencia o ingênuo) e castigo.

Como toda a humanidade fora condenada sem direito de revisão de sentença, os seres humanos decidiram criar mecanismos de defesa — para a eventualidade de Deus resolver de novo demonstrar Seu poder arbitrário. Mas, no decorrer de milênios de estudos, os homens inventaram tantos recursos que terminaram exagerando na dose — e agora a Justiça era um emaranhado de cláusulas, jurisprudências, textos contraditórios que ninguém conseguia entender direito.

Tanto é assim que, quando Deus resolveu mudar de idéia e mandar o Seu Filho para salvar o mundo, o que acontecera? Caíra nas malhas da Justiça que Ele havia inventado.

O emaranhado de leis terminou fazendo tanta confusão, que o Filho acabara pregado numa cruz. Não foi um processo simples: de Anás para Caifás, dos sacerdotes para Pilatos, que alegou não ter leis suficientes segundo o Código Romano. De Pilatos para Herodes, que — por sua vez — alegou que o código judeu não permitia a sentença de morte. De Herodes para Pilatos de novo, que ainda tentou uma apelação, oferecendo um acordo jurídico ao povo: açoitou-o e mostrou suas feridas, mas não funcionou.

Como fazem os modernos promotores, Pilatos resolveu promover-se às custas do condenado: ofere-

ceu-se para trocar Jesus por Barrabás, sabendo que a Justiça, a esta altura, já se havia convertido num grande espetáculo onde é preciso um final apoteótico, com a morte do réu.

Finalmente, Pilatos usou o artigo que facultava ao juiz — e não a quem estava sendo julgado — o benefício da dúvida: lavou as mãos, o que quer dizer "nem sim, nem não". Era mais um artifício para preservar o sistema jurídico romano, sem ferir o bom relacionamento com os magistrados locais, e ainda podendo transferir o peso da decisão para o povo — no caso daquela sentença terminar criando problemas, fazendo com que algum inspetor da capital do Império fosse verificar pessoalmente o que estava acontecendo.

Justiça. Direito. Embora fosse indispensável para ajudar os inocentes, nem sempre funcionava da maneira que todos gostariam. Mari ficou contente de estar longe desta confusão toda, embora esta noite — com aquele piano tocando — não estivesse tão certa se Villete era o lugar indicado para ela.

"Se eu decidir sair de vez deste lugar, nunca mais me meto em Justiça, não vou mais conviver com loucos que se julgam normais e importantes — mas cuja única função na vida é fazer tudo mais difícil para os outros. Vou ser costureira, bordadeira, vou vender frutas em frente ao Teatro Municipal; já cumpri a minha parte de loucura inútil."

Em Villete era permitido fumar, mas era proibido jogar o cigarro na grama. Com prazer, ela fez o que era proibido, porque a grande vantagem de estar ali era

não respeitar regulamentos, e — mesmo assim — não ter que agüentar maiores conseqüências.

Aproximou-se da porta de entrada. O guarda — sempre havia um guarda ali, afinal esta era a lei — cumprimentou-a com um aceno de cabeça, e abriu a porta.

— Não vou sair — disse ela.

— Belo piano — respondeu o guarda. — Tem acontecido quase todas as noites.

— Mas vai acabar logo — disse, afastando-se rápido para não ter que explicar a razão.

Lembrou-se do que lera nos olhos da moça, no momento em que ela entrou no refeitório: medo.

Medo. Veronika podia sentir insegurança, timidez, vergonha, constrangimento, mas por que medo? Este sentimento só justifica-se diante de uma ameaça concreta — como animais ferozes, pessoas armadas, terremotos — jamais de um grupo reunido num refeitório.

"Mas o ser humano é assim", consolou-se. "Substitui grande parte de suas emoções pelo medo."

E Mari sabia muito bem do que estava falando, porque este fora o motivo que a levara até Villete: a síndrome do pânico.

Mari mantinha no seu quarto uma verdadeira coleção de artigos sobre a doença. Hoje já se falava abertamente do tema, e recentemente vira um programa de televisão alemã onde algumas pessoas relatavam as experiências que haviam passado. Neste mesmo

programa, uma pesquisa revelava que parte significativa da população humana sofre de síndome do pânico, embora quase todos os afetados procurassem esconder os sintomas, com medo de serem considerados loucos.

Mas na época em que Mari tivera seu primeiro ataque, nada disso era conhecido. "Foi o inferno. O verdadeiro inferno", pensou, acendendo outro cigarro.

O piano continuava tocando, a moça parecia ter energia suficiente para passar a noite em claro.

Desde que aquela menina entrara no sanatório, muitos internos haviam sido afetados — e Mari era um deles. No começo, tinha procurado evitá-la, temendo despertar sua vontade de viver; era melhor que continuasse desejando a morte, porque não podia mais fugir. O Dr. Igor deixara escapar o boato de que, embora continuasse lhe dando injeções todos os dias, o estado da moça deteriorava a olhos vistos, e não conseguiria salvá-la de jeito nenhum.

Os internos haviam entendido o recado, e mantinham distância da mulher condenada. Mas — sem que ninguém soubesse exatamente por que — Veronika começara a lutar por sua vida, embora apenas duas pessoas se aproximassem dela: Zedka, que iria embora amanhã, e não era de falar muito. E Eduard.

Mari precisava ter uma conversa com Eduard: ele sempre a escutava com respeito. Será que o rapaz não entendia que a estava trazendo de volta ao mundo? E que isso era a pior coisa que podia fazer com uma pessoa sem esperança de salvação?

Considerou mil possibilidades de explicar o assunto: todas elas envolviam colocá-lo com sentimento de culpa, e isto ela não faria nunca. Mari refletiu um pouco e resolveu deixar as coisas correrem seu ritmo normal; já não advogava mais, e não queria dar o mau exemplo de criar novas leis de comportamento, num local onde devia reinar a anarquia.

Mas a presença da menina tinha afetado muita gente ali, e alguns estavam dispostos a repensar suas vidas. Num dos encontros da Fraternidade, alguém tentara explicar o que estava acontecendo: os falecimentos em Villete aconteciam de repente, sem dar tempo de ninguém pensar a respeito, ou no final de uma longa doença — quando a morte sempre é uma bênção.

No caso daquela menina, porém, a cena era dramática — porque era jovem, estava desejando viver de novo, e todos sabiam que isso era impossível. Algumas pessoas se perguntavam: "e se isso estivesse acontecendo comigo? Como eu tenho uma chance, será que a estou utilizando?"

Alguns não se incomodavam com a resposta; há muito tinham desistido, e já faziam parte de um mundo onde não existe nem vida nem morte, nem espaço nem tempo. Outros, porém, estavam sendo forçados a refletir, e Mari era um deles.

Veronika parou de tocar por um instante, e olhou Mari lá fora, enfrentando o frio noturno com um casaco leve; será que ela queria se matar?

"Não. Quem quis se matar fui eu."

Voltou ao piano. Nos seus últimos dias de vida, realizara finalmente o grande sonho: tocar com alma e coração, o tempo que quisesse, na altura que achasse melhor. Não tinha importância se a sua única platéia era um rapaz esquizofrênico; ele parecia entender a música, e isso era o que contava.

Mari nunca quisera se matar. Ao contrário, há cinco anos atrás, dentro do mesmo cinema onde fora hoje, ela assistia horrorizada um filme sobre a miséria em El Salvador, e pensava o quanto sua vida era importante. Nesta época — com os filhos grandes e encaminhados em suas profissões — estava decidida a largar o aborrecido e interminável trabalho de advocacia, para dedicar o resto de seus dias numa entidade humanitária. Os rumores de guerra civil no país cresciam a cada momento, mas Mari não acreditava neles: era impossível que, no final do século, a Comunidade Européia deixasse ocorrer uma nova guerra em suas portas.

Do outro lado do mundo, porém, a escolha das tragédias era farta: e entre estas tragédias estava a de El Salvador, com suas crianças passando fome na rua, e sendo obrigadas a prostituir-se.

— Que horror — disse ao marido, sentado na poltrona ao lado.

Ele concordou com a cabeça.

Mari vinha adiando a decisão há muito tempo, mas talvez fosse a hora de conversar com ele. Já tinham recebido tudo que a vida podia oferecer de bom: casa, trabalho, bons filhos, conforto necessário, divertimento e cultura. Por que não fazer agora algo pelo próxi-

mo? Mari tinha contatos na Cruz Vermelha, sabia que voluntários eram desesperadamente necessários em muitas partes do mundo.

Estava farta de trabalhar com burocracia, processos, sendo incapaz de ajudar gente que passava anos de sua vida para resolver um problema que não havia criado. Trabalhar na Cruz Vermelha, porém, iria dar resultados imediatos.

Resolveu que, assim que saíssem do cinema, iria convidá-lo para um café, e discutir a idéia.

A tela mostrava algum funcionário do governo salvadorenho dando uma desculpa desinteressante para determinada injustiça, e — de repente — Mari sentiu que seu coração acelerava.

Disse para si mesma que não era nada. Talvez o ar abafado do cinema a estivesse asfixiando; se o sintoma persistisse, ia até a sala de espera respirar um pouco.

Mas, numa sucessão rápida de acontecimentos, o coração começou a bater mais e mais forte, e ela começou a suar frio.

Assustou-se, e tentou prestar atenção no filme, para ver se tirava qualquer tipo de pensamento negativo da cabeça. Mas viu que já não conseguia acompanhar o que estava acontecendo na tela; as imagens continuavam, os letreiros eram visíveis, enquanto Mari parecia haver entrado numa realidade completamente diferente, onde tudo aquilo era estranho, fora de lugar, pertencendo a um mundo onde jamais estivera antes.

— Estou passando mal — disse ao marido.

Procurara evitar ao máximo fazer este comentário, porque significava admitir que algo estava errado com ela. Mas era impossível adiá-lo mais.

— Vamos até lá fora — respondeu ele.

Quando pegou na mão da mulher para ajudá-la a levantar-se, notou que estava gelada.

— Não vou conseguir chegar até lá fora. Por favor, me diga o que está acontecendo.

O marido assustou-se. O rosto de Mari estava coberto de suor, e seus olhos tinham um brilho diferente.

— Fique calma. Eu vou sair, e chamar um médico.

Ela desesperou-se. As palavras faziam sentido, mas todo o resto — o cinema, a penumbra, as pessoas sentadas lado a lado e olhando para uma tela brilhante — tudo aquilo parecia ameaçador. Tinha certeza de que estava viva, podia até mesmo tocar a vida ao seu redor, como se fosse sólida. E nunca antes passara por aquilo.

— Não me deixe aqui sozinha, de maneira nenhuma. Vou levantar, e vou sair com você. Ande devagar.

Os dois pediram licença aos espectadores que se encontravam na mesma fila, e começaram a caminhar em direção ao fundo da sala, onde estava a porta de saída. O coração de Mari agora estava completamente disparado, e ela tinha certeza, absoluta certeza, de que nunca ia conseguir deixar aquele local. Tudo que fazia, cada gesto seu — colocar um pé diante do outro, pedir licença, agarrar-se ao braço do marido, inspirar e expirar — parecia consciente e pensado, e aquilo era aterrador.

Nunca sentira tanto medo em sua vida.

"Vou morrer dentro de um cinema."

E julgou entender o que estava passando, porque uma amiga sua morrera dentro de um cinema, há

123

muitos anos atrás: um aneurisma havia estourado em seu cérebro.

Os aneurismas cerebrais são como bombas-relógio. Pequenas varizes que se formam nos vasos sangüíneos — como bolhas em pneus usados — e que podem passar ali toda a existência de uma pessoa, sem que nada aconteça. Ninguém sabe se tem um aneurisma, até que ele é descoberto sem querer — como no caso de uma radiografia do cérebro por outros motivos — ou no momento em que ele explode, inundando tudo de sangue, colocando a pessoa imediatamente em coma, e geralmente fazendo com que morra em pouco tempo.

Enquanto caminhava pelo corredor da sala escura, Mari lembrava-se da amiga que perdera. O mais estranho, porém, era como a explosão do aneurisma estava afetando a sua percepção: ela parecia ter sido transportada para um planeta diferente, vendo cada coisa familiar como se fosse a primeira vez.

E o medo aterrador, inexplicável, o pânico de estar só naquele outro planeta. A morte.

"Não posso pensar. Tenho que fingir que tudo está bem, e tudo ficará bem."

Procurou agir naturalmente, e por alguns segundos a sensação de estranheza diminuiu. Desde o momento em que tivera o primeiro sintoma de taquicardia, até a hora que alcançou a porta, havia passado os dois minutos mais aterradores de sua vida.

Quando chegaram à sala de espera iluminada, porém, tudo pareceu voltar. As cores eram fortes, o ruído da rua lá fora parecia entrar por todos os cantos,

e as coisas eram absolutamente irreais. Começou a reparar em detalhes que nunca antes havia notado: a nitidez da visão, por exemplo, que cobre apenas uma pequena área onde concentramos nossos olhos, enquanto o resto fica totalmente desfocado.

Foi mais longe ainda: sabia que tudo aquilo que via a sua volta não passava de uma cena criada por impulsos elétricos dentro de seu cérebro, utilizando impulsos de luz que atravessavam um corpo gelatinoso, chamado "olho".

Não. Não podia começar a pensar nisso. Se enveredasse por aí, ia terminar completamente louca.

A esta altura, o medo do aneurisma já tinha passado; ela saíra da sala de projeção e continuava viva — enquanto sua amiga não tivera nem tempo de mover-se da cadeira.

— Chamarei uma ambulância — disse o marido, ao ver o rosto pálido e os lábios sem cor de sua mulher.

— Chame um táxi — pediu, escutando o som que saía de sua boca, consciente da vibração de cada corda vocal.

Ir para o hospital significava aceitar que estava realmente muito mal: Mari estava decidida a lutar até o último minuto para que as coisas voltassem a ser o que eram.

Saíram da sala de espera, e o frio cortante pareceu surtir algum efeito positivo; Mari recuperou um pouco o controle de si mesma, embora o pânico, o terror inexplicável, continuasse. Enquanto o marido, desesperado, tentava encontrar um táxi àquela hora da noite, ela sentou-se no meio-fio e procurou não olhar o que havia a sua volta — porque os garotos brincando, os ônibus passando, a música que vinha de um parque

de diversões nas cercanias, tudo aquilo parecia absolutamente surrealista, assustador, irreal.

Um táxi finalmente apareceu.

— Para o hospital — disse o marido, ajudando a mulher a entrar.

— Para casa, pelo amor de Deus — pediu ela. Não queria mais lugares estranhos, precisava desesperadamente de coisas familiares, iguais, capazes de diminuir o medo que sentia.

Enquanto o táxi se dirigia ao destino indicado, a taquicardia foi diminuindo, e a temperatura de seu corpo começou a voltar ao normal.

— Estou melhorando — disse para o marido. — Deve ter sido alguma coisa que comi.

Quando chegaram em casa, o mundo parecia de novo o mesmo que conhecera desde sua infância. Ao ver o marido dirigir-se ao telefone, perguntou o que ia fazer.

— Chamar um médico.

— Não há necessidade. Olhe para mim, veja que estou bem.

A cor de seu rosto havia voltado, o coração batia normalmente, e o medo incontrolável tinha desaparecido.

Mari dormiu pesadamente aquela noite, e acordou com uma certeza; alguém colocara alguma droga no café que haviam bebido antes de entrar no cinema. Tudo não passara de uma brincadeira perigosa, e ela estava disposta — no final da tarde — a chamar um

promotor e ir até o bar para tentarem descobrir o irresponsável autor da idéia.

Foi para o trabalho, despachou alguns processos que estavam pendentes, procurou ocupar-se com os mais diversos assuntos — a experiência do dia anterior ainda a deixava um pouco assustada, e precisava mostrar a si mesma que aquilo não se repetiria nunca mais.

Discutiu com um dos seus sócios o filme sobre El Salvador e mencionou — de passagem — que já estava cansada de fazer todo dia a mesma coisa.

— Talvez tenha chegado a hora de me aposentar.

— Você é uma das melhores que temos — disse o sócio. — E o Direito é uma das raras profissões onde a idade sempre conta a favor. Por que não tira umas férias prolongadas? Tenho certeza que voltará com entusiasmo para cá.

— Quero dar uma guinada na minha vida. Viver uma aventura, ajudar os outros, fazer algo que nunca fiz.

A conversa acabou por ali. Foi até a praça, almoçou num restaurante mais caro do que aquele em que costumava almoçar sempre, e voltou mais cedo para o escritório — a partir daquele momento, estava começando a sua retirada.

O resto dos funcionários ainda não voltara, e Mari aproveitou para ver o trabalho que ainda estava em sua mesa. Abriu a gaveta para pegar uma caneta que sempre colocava no mesmo lugar, e não conseguiu encontrá-la. Por uma fração de segundo, pensou que talvez estivesse agindo de maneira estranha, pois não havia recolocado sua caneta onde devia.

Foi o suficiente para que o coração tornasse a disparar, e o terror da noite anterior voltasse com toda a sua força.

Mari ficou paralisada. O sol que entrava pelas persianas dava a tudo uma cor diferente, mais viva, mais agressiva, mas ela tinha a sensação de que ia morrer no próximo minuto; tudo aquilo ali era absolutamente estranho, o que estava fazendo naquele escritório?

"Meu Deus, eu não acredito em você, mas me ajuda."

Começou de novo a suar frio, e viu que não conseguia controlar seu medo. Se alguém entrasse ali, naquele momento, ia notar seu olhar assustado, e ela estaria perdida.

"O frio."

O frio tinha feito com que se sentisse melhor no dia anterior, mas como chegar até a rua? De novo estava percebendo cada detalhe que se passava com ela — o ritmo da respiração (havia momentos em que sentia que, se não inspirasse e expirasse, o corpo seria incapaz de fazer isso por si mesmo), o movimento da cabeça (as imagens mudavam de lugar como se houvesse uma câmara de televisão girando), o coração disparando cada vez mais, o corpo sendo banhado por um suor gelado e pastoso.

E o terror. Sem qualquer explicação, um medo gigantesco de fazer qualquer coisa, dar qualquer passo, sair de onde estava sentada.

"Vai passar."

Tinha passado no dia anterior. Mas agora estava no trabalho, o que fazer? Olhou o relógio — que lhe pareceu também um mecanismo absurdo, com duas agulhas girando em torno do mesmo eixo, indicando uma medida de tempo que ninguém jamais dissera por

que devia ser 12, e não 10 — como todas as outras medidas do homem.

"Não posso pensar nestas coisas. Elas me deixam louca."

Louca. Talvez esta fosse a palavra certa para o que estava lhe acontecendo; juntando toda a sua vontade, Mari levantou-se e caminhou para o banheiro. Felizmente o escritório continuava vazio, e ela conseguiu chegar aonde queria em um minuto — que lhe pareceu uma eternidade. Lavou o rosto, e a sensação de estranhamento diminuiu, mas o medo continuava.

"Vai passar", dizia para si mesma. "Ontem passou."

Lembrava-se que, no dia anterior, tudo havia demorado aproximadamente uns 30 minutos. Trancou-se dentro de um dos toaletes, sentou-se no vaso, e colocou a cabeça entre as pernas. A posição fez com que o som de seu coração fosse ampliado, e Mari logo ergueu o corpo.

"Vai passar."

Ficou ali, achando que não conhecia mais a si mesma, estava irremediavelmente perdida. Escutou passos de gente entrando e saindo do banheiro, torneiras sendo abertas e fechadas, conversas inúteis sobre temas banais. Mais de uma vez alguém tentou abrir a porta do toalete onde estava, mas ela dava um murmúrio, e ninguém insistia. Os ruídos das descargas soavam como algo apavorante, capaz de derrubar o edifício e levar todas as pessoas para o inferno.

Mas — conforme previra — o medo foi passando, e seu coração foi voltando ao normal. Ainda bem que sua secretária era incompetente o bastante para

sequer notar a sua falta, ou já todo o escritório estaria no banheiro, perguntando se ela estava bem.

Quando viu que conseguia manter de novo o controle de si mesma, Mari abriu a porta, lavou o rosto por um longo tempo, e voltou para o escritório.

— A senhora está sem maquiagem — disse uma estagiária. — Quer que eu lhe empreste a minha?

Mari não se deu ao trabalho de responder. Entrou no escritório, pegou sua bolsa, seus pertences pessoais, e disse para a secretária que ia passar o resto do dia em casa.

— Mas existem muitos encontros marcados! — protestou a secretária.

— Você não dá ordens: recebe. Faça exatamente o que estou mandando: desmarque os encontros.

A secretária acompanhou com os olhos aquela mulher, com quem trabalhava há quase três anos, e que nunca fora grosseira. Algo muito sério devia estar acontecendo com ela: talvez alguém lhe tivesse dito que o marido estava em casa com uma amante, e ela queria provocar um flagrante de adultério.

"É uma advogada competente, sabe como agir", disse a moça para si mesma. Com certeza, amanhã a doutora lhe pediria desculpas.

Não houve amanhã. Naquela noite, Mari teve uma longa conversa com o marido, e descreveu-lhe todos os sintomas do que passara a sentir. Juntos, chegaram à conclusão que as palpitações no coração, o suor frio, a estranheza, impotência e descontrole — tudo podia ser resumido numa só palavra: medo.

Marido e mulher estudaram juntos o que estava acontecendo. Ele pensou em um câncer na cabeça, mas não disse nada. Ela pensou que estava tendo premonições de algo terrível, e tampouco disse. Procuraram um terreno comum para conversar, com a lógica e a razão de gente madura.

— Talvez seja bom você fazer uns exames.

Mari concordou, sob uma condição: ninguém, nem mesmo os seus filhos, podiam saber de nada.

No dia seguinte solicitou — e recebeu — uma licença não-remunerada de 30 dias no escritório de advocacia. O marido pensou em levá-la para a Áustria, onde estavam os grandes especialistas de doenças no cérebro, mas ela recusava-se a sair de casa — os ataques agora eram mais freqüentes, e demoravam mais tempo.

Com muito custo, e à base de calmantes, os dois foram até um hospital de Lubljana, e Mari submeteu-se a uma quantidade enorme de exames. Nada de anormal foi encontrado — nem mesmo um aneurisma, o que tranqüilizou Mari pelo resto dos anos seguintes.

Mas os ataques de pânico continuavam. Enquanto o marido ocupava-se das compras e cozinhava, Mari fazia uma limpeza diária e compulsiva na casa, para manter a mente concentrada em outras coisas. Começou a ler todos os livros de psiquiatria que podia encontrar, e parou de ler logo em seguida — porque parecia identificar-se com cada uma das doenças que eram descritas ali.

O mais terrível de tudo é que os ataques já não eram mais novidade, e mesmo assim ela continuava sentindo pavor, estranhamento diante da realidade, incapacidade de controlar a si mesma. Além disso, começou a culpar-se pela situação do marido, que era

obrigado a trabalhar dobrado, suprindo suas próprias tarefas como dona de casa — exceto a limpeza.

Com os dias passando, e a situação não se resolvendo, Mari começou a sentir — e externar — uma irritação profunda. Tudo era motivo para que perdesse a calma e começasse a gritar, terminando invariavelmente num choro compulsivo.

Depois de trinta dias, o sócio de Mari no escritório apareceu em sua casa. Ele ligava todos os dias, mas ela não atendia o telefone, ou mandava o marido dizer que estava ocupada. Naquela tarde, ele simplesmente ficou tocando a campainha, até que ela abrisse a porta.

Mari tinha passado uma manhã tranqüila. Preparou um chá, conversaram sobre o escritório, e ele perguntou quando ela voltaria a trabalhar.

— Nunca mais.

Ele recordou a conversa sobre El Salvador.

— Você sempre deu o melhor de si, e tem o direito de escolher o que quiser — disse ele, sem qualquer rancor na voz. — Mas penso que o trabalho, nestes casos, é a melhor de todas as terapias. Faça as suas viagens, conheça o mundo, seja útil onde acha que estão precisando de você, mas as portas do escritório estão abertas, esperando sua volta.

Ao ouvir isso, Mari caiu em prantos — como costumava fazer agora, com muita facilidade.

O sócio esperou até que ela se acalmasse. Como bom advogado, não perguntou nada; sabia que tinha mais chances de conseguir uma resposta com o seu silêncio, do que com uma pergunta.

E assim foi. Mari contou a história, desde o que acontecera no cinema, até os seus recentes ataques histéricos com o marido, que tanto a apoiava.

— Estou louca — disse.

— É uma possibilidade — respondeu ele, com ar de quem entende tudo, mas com ternura em sua voz.

— Neste caso, você tem duas coisas a fazer: tratar-se, ou continuar doente.

— Não há tratamento para o que estou sentindo. Continuo em pleno domínio de minhas faculdades mentais, e estou tensa porque esta situação já se prolonga por muito tempo. Mas não tenho os sintomas clássicos da loucura — como ausência da realidade, desinteresse, ou agressividade descontrolada. Apenas medo.

— É o que todos os loucos dizem: que são normais.

Os dois riram, e ela preparou um pouco mais de chá. Conversaram sobre o tempo, o sucesso da independência eslovena, as tensões que agora surgiam entre a Croácia e a Iugoslávia. Mari assistia TV o dia inteiro, e estava muito bem informada sobre tudo.

Antes de se despedir, o sócio tornou a tocar no assunto.

— Acabam de abrir um sanatório na cidade — disse. — Capital externo, e tratamento de primeiro mundo.

— Tratamento de quê?

— Desequilíbrios, vamos dizer assim. E medo em exagero é um desequilíbrio.

Mari prometeu pensar no assunto, mas não tomou nenhuma decisão neste sentido. Continuou a ter ataques de pânico por mais um mês, até entender que

não apenas sua vida pessoal, mas seu casamento estava vindo abaixo. De novo pediu alguns calmantes, e ousou sair de casa — pela segunda vez em sessenta dias.

Tomou um táxi, e foi até o novo sanatório. No caminho, o motorista perguntou se ia visitar alguém.

— Falam que é muito confortável, mas dizem também que os loucos são furiosos, e que os tratamentos incluem choques elétricos.

— Vou visitar alguém — respondeu Mari.

Bastou apenas uma hora de conversa para que dois meses de sofrimento de Mari terminassem. O chefe da instituição — um homem alto com cabelos tingidos de negro, que atendia pelo nome de Dr. Igor — explicou que tratava-se de apenas um caso de Síndrome do Pânico, doença recém-admitida nos anais da psiquiatria universal.

— Não quer dizer que a doença seja nova — explicou, com o cuidado de ser bem compreendido. — Acontece que as pessoas afetadas costumavam escondê-la, com medo de serem confundidos com loucos. É apenas um desequilíbrio químico no organismo, como é o caso da depressão.

Dr. Igor escreveu uma receita, e pediu que voltasse para casa.

— Não quero voltar agora — respondeu Mari. — Mesmo com tudo que o senhor me disse, não vou ter coragem de sair na rua. Meu casamento virou um inferno, e preciso deixar que meu marido também se recupere destes meses que passou cuidando de mim.

Como sempre acontecia em casos como este — já que os acionistas queriam manter o hospício fun-

cionando em plena capacidade — o Dr. Igor aceitou a internação, embora deixando bem claro que não era necessária.

Mari recebeu a medicação adequada, teve um acompanhamento psicológico, e os sintomas diminuíram — terminando por passar completamente.

Neste meio tempo, porém, a história da internação de Mari correu a pequena cidade de Lubljana. O seu sócio, amigo de muitos anos, companheiro de não se sabe quantas horas de alegria e medo, veio visitá-la em Villete. Cumprimentou-a pela coragem de aceitar seu conselho, e procurar ajuda. Mas logo disse a razão por que viera:

— Talvez seja mesmo hora de você se aposentar.

Mari entendeu o que estava por trás daquelas palavras: ninguém ia querer confiar seus negócios a uma advogada que já tinha sido internada num hospício.

— Você disse que o trabalho era a melhor terapia. Eu preciso voltar, nem que seja por um tempo muito curto.

Ela aguardou qualquer reação, mas ele não disse nada. Mari continuou:

— Você mesmo sugeriu que eu me tratasse. Quando eu pensava em aposentadoria, estava pensando em sair vitoriosa, realizada, por minha livre e espontânea vontade. Não quero largar meu emprego assim, porque fui derrotada. Dê-me pelo menos uma chance de recuperar minha auto-estima, e então eu peço a aposentadoria.

O advogado pigarreou.

— Eu sugeri que você se tratasse, não que se internasse.

— Mas era uma questão de sobrevivência. Eu simplesmente não conseguia sair na rua, o meu casamento estava acabando.

Mari sabia que estava jogando suas palavras fora. Nada do que fizesse iria conseguir dissuadi-lo — afinal de contas, era o prestígio do escritório que estava em jogo. Mesmo assim, tentou mais uma vez.

— Eu aqui dentro tenho convivido com dois tipos de pessoas: gente que não tem chance de voltar à sociedade, e gente que está absolutamente curada, mas prefere fingir-se de louca, para não ter que enfrentar as responsabilidades da vida. Eu quero, eu preciso voltar a gostar de mim mesma, devo convencer-me que sou capaz de tomar minhas próprias decisões. Não posso ser empurrada para coisas que não escolhi.

— Nós podemos cometer muitos erros em nossas vidas — disse o advogado. — Menos um: aquele que nos destrói.

Não adiantava continuar a conversa: na opinião dele, Mari havia cometido o erro fatal.

Dois dias depois, anunciaram a visita de outro advogado — desta vez de um escritório diferente, considerado o melhor rival dos seus agora ex-companheiros. Mari animou-se: talvez ele soubesse que ela estava livre para aceitar um novo emprego, e ali estava a chance de recuperar o seu lugar no mundo.

O advogado entrou na sala de visitas, sentou-se diante dela, sorriu, perguntou se já estava melhor, e tirou vários papéis da mala.

— Estou aqui por causa do seu marido — disse.
— Isto é um pedido de divórcio. É claro, ele pagará suas despesas de hospital pelo tempo que permanecer aqui.

Desta vez, Mari não reagiu. Assinou tudo, mesmo sabendo que — de acordo com a Justiça que havia aprendido — podia prolongar indefinidamente aquela briga. Em seguida, foi até o Dr. Igor, e disse que os sintomas de pânico haviam retornado.

Dr. Igor sabia que ela estava mentindo, mas prolongou a internação por tempo indeterminado.

Veronika resolveu se deitar, mas Eduard continuava de pé, ao lado do piano.

— Estou cansada, Eduard. Preciso dormir.

Gostaria de continuar tocando para ele, retirando de sua memória anestesiada todas as sonatas, réquiens, adágios que conhecia — porque ele sabia admirar sem exigir. Mas seu corpo não agüentava mais.

Ele era um homem tão bonito! Se pelo menos saísse um pouco de seu mundo e a olhasse como uma mulher, então as suas últimas noites nesta terra podiam ser as mais belas de sua vida, porque Eduard era o único capaz de entender que Veronika era uma artista. Conseguira com aquele homem um tipo de ligação como jamais conseguira com alguém — através da emoção pura de uma sonata ou de um minueto.

Eduard era o homem ideal. Sensível, educado, que destruíra um mundo desinteressante para recriá-lo de novo em sua cabeça, desta vez com novas cores, personagens, histórias. E este mundo novo incluía uma mulher, um piano, e uma lua que continuava a crescer.

— Eu podia me apaixonar agora, entregar tudo que tenho a você — disse, sabendo que ele não podia entendê-la. — Você me pede apenas um pouco de música, mas eu sou muito mais do que pensava que

era, e gostaria de dividir outras coisas que passei a entender.

Eduard sorriu. Será que tinha compreendido? Veronika ficou com medo — o manual do bom comportamento diz que não se deve falar de amor de uma maneira tão direta, e jamais com um homem que vira tão poucas vezes. Mas resolveu continuar, porque não tinha nada a perder.

— Você é o único homem na face da Terra pelo qual eu posso me apaixonar, Eduard. Simplesmente porque, quando eu morrer, você não sentirá minha falta. Não sei o que um esquizofrênico sente, mas certamente não deve ser saudades de alguém.

"Talvez, no início, você estranhe o fato de que não existe mais música durante a noite; entretanto, sempre que a lua aparecer, haverá alguém disposto a tocar sonatas, principalmente num sanatório — já que todos nós aqui somos 'lunáticos'."

Não sabia qual a relação entre os loucos e a lua, mas devia ser muito forte, pois usavam uma palavra daquelas para descrever os doentes mentais.

— E eu tampouco vou sentir falta de você, Eduard, porque vou estar morta, longe daqui. E como não tenho medo de perdê-lo, não me importo com o que você vai pensar ou não de mim, eu hoje toquei para você como uma mulher apaixonada. Foi ótimo. Foi o melhor momento de minha vida.

Olhou para Mari lá fora. Lembrou-se de suas palavras. E tornou a olhar para o rapaz a sua frente.

Veronika tirou o suéter, aproximou-se de Eduard — se tivesse que fazer algo, que fosse agora. Mari não

ia agüentar o frio lá fora por muito tempo, e logo tornaria a entrar.

Ele recuou. A pergunta em seus olhos era outra: quando iria voltar para o piano? Quando tocaria uma nova música, para encher sua alma com as mesmas cores, sofrimentos, dores, e alegrias daqueles compositores loucos, que tinham atravessado tantas gerações com suas obras?

— A mulher lá fora me disse: "masturbe-se. Saiba onde quer chegar". Será que posso ir mais longe do que sempre fui?

Ela pegou sua mão, e quis conduzi-lo até o sofá, mas Eduard polidamente recusou. Preferia ficar de pé onde estava, ao lado do piano, esperando pacientemente que ela voltasse a tocar.

Veronika ficou desconcertada, e logo se deu conta que nada tinha a perder. Estava morta, de que adiantava ficar alimentando medos ou preconceitos com que sempre limitaram a sua vida? Tirou a blusa, a calça, o sutiã, a calcinha, e ficou nua diante dele.

Eduard riu. Ela não sabia de que, mas reparou que ele rira. Delicadamente, pegou sua mão, e colocou-a em seu sexo; a mão ficou ali, imóvel. Veronika desistiu da idéia, e retirou-a.

Algo a estava excitando muito mais do que um contato físico com aquele homem: o fato de que podia fazer o que quisesse, de que não havia limites — exceto pela mulher lá fora, que podia entrar a qualquer hora, ninguém mais devia estar acordado.

O sangue começou a correr mais rápido, e o frio — sentira ao se despir — foi desaparecendo. Os dois

estavam de pé, frente a frente, ela nua, ele totalmente vestido. Veronika desceu a mão até o seu sexo, e começou a masturbar-se; já fizera aquilo antes, sozinha ou com alguns parceiros — mas nunca numa situação como esta, onde o homem não demonstrava qualquer interesse pelo que estava acontecendo.

E isso era excitante, muito excitante. De pé, com as pernas abertas, Veronika tocava seu sexo, seus seios, seus cabelos, entregando-se como nunca se entregara, nem tanto porque queria ver aquele rapaz saindo do seu mundo distante, mas porque nunca tinha experimentado isto.

Começou a falar, a dizer coisas impensáveis, que seus pais, seus amigos, seus ancestrais considerariam o que havia de mais sujo no mundo. Veio o primeiro orgasmo, e ela mordeu os lábios para não gritar de prazer.

Eduard a encarava. Havia um brilho diferente nos seus olhos, parecia que estava compreendendo alguma coisa, nem que fosse a energia, o calor, o suor, o cheiro que exalava do seu corpo. Veronika ainda não estava satisfeita. Ajoelhou-se, e começou a masturbar-se de novo.

Queria morrer de gozo, de prazer, pensando e realizando tudo que sempre lhe fora proibido: implorou ao homem que a tocasse, que a submetesse, que a usasse para tudo o que tinha vontade. Quis que Zedka estivesse também ali, porque uma mulher sabe como tocar o corpo da outra como nenhum homem consegue, já que conhece todos os seus segredos.

De joelhos, diante daquele homem em pé, ela sentiu-se possuída e tocada, e usou palavras pesadas para descrever o que queria que ele lhe fizesse. Um novo orgasmo foi chegando, desta vez mais forte que nunca, como se tudo a sua volta fosse explodir. Lembrou-se do ataque do coração que tivera aquela manhã, mas isto não tinha mais nenhuma importância, ia morrer gozando, explodindo. Sentiu-se tentada a segurar o sexo de Eduard, que se encontrava bem diante do seu rosto, mas não queria correr nenhum risco de estragar aquele momento; estava indo longe, muito longe, exatamente como Mari dissera.

Imaginou-se rainha e escrava, dominadora e dominada. Em sua fantasia, fazia amor com brancos, negros, amarelos, homossexuais, mendigos. Era de todos, e todos podiam fazer tudo. Teve um, dois, três orgasmos seguidos. Imaginou tudo que nunca imaginara antes — e entregou-se ao que havia de mais vil e mais puro. Finalmente, não conseguiu mais conter-se e gritou muito, de prazer, da dor dos orgasmos seguidos, dos muitos homens e mulheres que tinham entrado e saído do seu corpo, usando as portas de sua mente.

Deitou-se no chão, e deixou-se ficar ali, inundada de suor, com a alma cheia de paz. Escondera seus desejos ocultos de si mesma, sem nunca saber direito por que — e não precisava de uma resposta. Bastava ter feito o que fizera: entregar-se.

Pouco a pouco, o Universo foi voltando ao seu lugar, e Veronika levantou-se. Eduard se mantivera imóvel o tempo todo, mas algo nele parecia ter muda-

do: seus olhos demonstravam ternura, uma ternura muito próxima deste mundo.

"Foi tão bom que consigo ver amor em tudo. Até mesmo nos olhos de um esquizofrênico."

Começou a colocar suas roupas, e sentiu uma terceira presença na sala.

Mari estava ali. Veronika não sabia quando ela havia entrado, o que escutara ou vira, mas mesmo assim não sentia vergonha ou medo. Apenas olhou-a, com a mesma distância com que se olha uma pessoa próxima demais.

— Fiz o que você sugeriu — disse. — Cheguei longe.

Mari permaneceu em silêncio; tinha acabado de reviver momentos muito importantes de sua vida, e sentia um certo mal-estar. Talvez fosse hora de voltar para o mundo, enfrentar as coisas lá fora, dizer que todos podiam ser membros de uma grande Fraternidade, mesmo sem nunca terem conhecido um hospício.

Como aquela garota, por exemplo — cuja única razão por estar em Villete era ter atentado contra a própria vida. Ela jamais conhecera o pânico, a depressão, as visões místicas, as psicoses, os limites que a mente humana nos pode levar. Embora conhecesse tantos homens, nunca experimentara o que há de mais oculto em seus desejos — e o resultado é que não conhecia nem metade de sua vida. Ah, se todos pudessem conhecer e conviver com sua loucura interior! O mundo seria pior? Não, as pessoas seriam mais justas e mais felizes.

— Por que nunca fiz isso antes?

— Ele quer que você toque mais uma música — disse Mari, olhando para Eduard. — Acho que merece.

— Farei isso, mas responda: por que nunca tinha feito isso antes? Se sou livre, se posso pensar em tudo que quero, por que sempre evitei imaginar situações proibidas?

— Proibidas? Escute: eu já fui advogada, e conheço as leis. Também já fui católica, e sabiu de coi grande parte da Bíblia. O que você quer dizer com "proibida"?

Mari aproximou-se dela, e ajudou-a a vestir o suéter.

— Olhe bem nos meus olhos, e não esqueça o que vou lhe dizer. Só existem duas coisas proibidas — uma pela lei do homem, outra pela lei de Deus. Nunca force uma relação com alguém, que é considerado estupro. E nunca tenha relações com crianças, porque este é o pior dos pecados. Afora isto, você é livre. Sempre existe alguém querendo exatamente a mesma coisa que você deseja.

Mari não estava com paciência de ensinar coisas importantes a alguém que iria morrer logo. Com um sorriso, disse "boa-noite" e retirou-se.

Eduard não se moveu, esperando sua música. Veronika precisava recompensá-lo pelo imenso prazer que ele lhe dera, só pelo fato de permanecer diante dela, olhando sua loucura sem pavor ou repulsa. Sentou-se no piano e recomeçou a tocar.

Sua alma estava leve, e nem mesmo o medo da morte lhe atormentava mais. Tinha vivido o que sempre escondera de si mesma. Tinha experimentado

os prazeres de virgem e de prostituta, de escrava e rainha — mais de escrava do que de rainha.

Naquela noite, como por milagre, todas as canções que sabia voltaram a sua mente, e ela fez com que Eduard tivesse quase tanto prazer quanto ela.

Quando acendeu a luz, o Dr. Igor ficou surpreso ao ver a moça sentada na sala de espera do seu consultório.

— Ainda é muito cedo. E estou com o dia cheio.

— Sei que é cedo — disse ela. — E o dia ainda não começou. Preciso falar um pouco, só um pouco. Preciso de ajuda.

Ela estava com olheiras, a pele sem brilho, sintomas típicos de quem passara a noite inteira em claro.

Dr. Igor resolveu deixá-la entrar.

Pediu que sentasse, acendeu a luz do consultório, e abriu as cortinas. Ia amanhecer em menos de uma hora, e logo poderia economizar os gastos com eletricidade; os acionistas sempre se importavam com despesas, por mais insignificantes que fossem.

Deu uma rápida olhada em sua agenda: Zedka já havia tomado seu último choque de insulina, e reagira bem — ou melhor, conseguira sobreviver ao tratamento desumano. Ainda bem que, naquele caso específico, o Dr. Igor exigira que o Conselho do hospital assinasse uma declaração, responsabilizando-se pelos resultados.

Passou a examinar os relatórios. Dois ou três pacientes tinham se comportado de maneira agressiva

durante a noite, segundo relato de enfermeiros —
entre eles Eduard, que voltara para sua enfermaria às
quatro horas da manhã, e recusara-se tomar os comprimidos para dormir. Dr. Igor precisava tomar uma
providência; por mais liberal que Villete fosse do lado
de dentro, era preciso manter as aparências de uma
instituição conservadora e severa.

— Tenho algo muito importante para pedir —
disse a moça.

Mas o Dr. Igor não lhe deu atenção. Pegando um
estetoscópio, começou a auscultar o seu pulmão e
coração. Testou seus reflexos, e examinou o fundo da
retina com uma pequena lanterna portátil. Viu que ela
quase não tinha mais sinais de envenenamento por
Vitríolo — ou Amargura, como todos preferiam
chamar.

Em seguida, foi até o telefone e pediu para a
enfermeira trazer um remédio de nome complicado.

— Parece que você não tomou sua injeção ontem
à noite — disse ele.

— Mas estou me sentindo melhor.

— Dá para ver no seu rosto: olheiras, cansaço,
falta de reflexos imediatos. Se você quer aproveitar o
pouco tempo que lhe resta, por favor faça o que eu
mando.

— Justamente por isso que estou aqui. Quero
aproveitar o pouco tempo, mas à minha maneira.
Quanto tempo sobra?

O Dr. Igor olhou-a por sobre os óculos.

— O senhor pode me responder — insistiu ela.
— Já não tenho medo, nem indiferença, nem nada.
Tenho vontade de viver, mas sei que isso não basta, e
estou conformada com meu destino.

— Então o que quer?

A enfermeira entrou com a injeção. Dr. Igor fez um sinal com a cabeça; ela levantou delicadamente a manga do suéter de Veronika.

— Quanto tempo me resta? — repetiu Veronika, enquanto a enfermeira aplicava a injeção.

— Vinte e quatro horas. Talvez menos.

Ela abaixou os olhos, e mordeu os lábios. Mas manteve o controle.

— Quero pedir dois favores. O primeiro, que me dê um remédio, uma injeção, seja o que for — de modo que eu posso ficar acordada, e aproveitar cada minuto do que sobrou de minha vida. Eu estou com muito sono, mas não quero mais dormir, tenho muito o que fazer — coisas que sempre deixei para o futuro, quando pensava que a vida era eterna. Coisas pelas quais perdi o interesse, quando passei a acreditar que a vida não valia a pena.

— Qual o seu segundo pedido?

— Sair daqui, e morrer lá fora. Preciso subir no castelo de Lubljana, que sempre esteve ali, e nunca tive a curiosidade de vê-lo de perto. Preciso conversar com a mulher que vende castanhas no inverno, e flores na primavera; quantas vezes nos cruzamos, e eu nunca lhe perguntei como passava? Quero andar na neve sem casaco, sentindo o frio extremo — eu, que sempre estive bem agasalhada, com medo de pegar um resfriado.

"Enfim, Dr. Igor, eu preciso apanhar chuva no rosto, sorrir para os homens que me interessam, aceitar todos os cafés para os quais me convidam. Tenho que beijar minha mãe, dizer que a amo, chorar no seu colo — sem vergonha de mostrar meus sentimentos, porque eles sempre existiram, e eu os escondi.

"Talvez eu entre na igreja, olhe aquelas imagens que nunca me disseram nada, e elas terminem me dizendo alguma coisa. Se um homem interessante me convidar para uma boate, eu vou aceitar, e vou dançar a noite inteira, até cair exausta. Depois irei para a cama com ele — mas não da maneira como fui com outros, ora tentando manter o controle, ora fingindo coisas que não sentia. Quero me entregar a um homem, à cidade, à vida e, finalmente, à morte."

Houve um pesado silêncio quando Veronika acabou de falar. Médico e paciente se olhavam nos olhos, absortos, talvez distraídos com as muitas possibilidades que simples 24 horas podiam oferecer.

— Posso lhe dar alguns medicamentos estimulantes, mas não aconselho seu uso — disse finalmente o Dr. Igor. — Eles afastarão o sono, mas também levarão embora a paz que você necessita para viver tudo isso.

Veronika começou a sentir-se mal; sempre que tomava aquela injeção, algo de ruim acontecia no seu corpo.

— Você está ficando mais pálida. Talvez seja melhor ir para a cama, e voltaremos a conversar amanhã.

Ela sentiu de novo vontade de chorar, mas continuou mantendo o controle.

— Não haverá amanhã, e o senhor sabe disso. Estou cansada, Dr. Igor, extremamente cansada. Por isso pedi os comprimidos. Passei a noite em claro, entre o desespero e a aceitação. Podia ter um novo ataque histérico de medo, como aconteceu ontem, mas

de que adiantaria? Se ainda tenho vinte e quatro horas de vida, e há tantas coisas diante de mim, decidi que era melhor deixar o desespero de lado.

"Por favor, Dr. Igor, deixe-me viver o pouco tempo que me resta — porque nós dois sabemos que amanhã pode ser tarde."

— Vá dormir — insistiu o médico. — E volte aqui ao meio-dia. Tornaremos a conversar.

Veronika viu que não havia saída.

— Vou dormir, e voltarei. Mas ainda temos alguns minutos?

— Alguns poucos minutos. Estou muito ocupado hoje.

— Vou ser direta. Ontem à noite, pela primeira vez, eu me masturbei de uma maneira completamente livre. Pensei em tudo que nunca ousara pensar, tive prazer em coisas que antes me assustavam ou me repeliam.

O Dr. Igor assumiu a postura mais profissional possível. Não sabia onde esta conversa podia levar, e não queria problemas com seus superiores.

— Descobri que sou uma pervertida, doutor. Quero saber se isso colaborou para que eu tentasse suicídio. Há muitas coisas que eu desconhecia em mim mesma.

"Bem, é apenas uma resposta", pensou ele. "Não preciso chamar a enfermeira para testemunhar a conversa, e evitar futuros processos por abuso sexual."

— Todos nós queremos fazer coisas diferentes — respondeu. — E os nossos parceiros também. O que há de errado?

— Responda o senhor.

— Há tudo de errado. Porque quando todos sonham e só alguns poucos realizam, o mundo inteiro sente-se covarde.

— Mesmo que estes poucos estejam certos?

— Quem está certo é quem é mais forte. Neste caso, paradoxalmente, os covardes são mais corajosos, e conseguem impor suas idéias.

Dr. Igor não queria ir mais longe.

— Por favor, vá descansar um pouco, porque tenho outros pacientes a atender. Se você colaborar, verei o que posso fazer com relação ao seu segundo pedido.

A moça saiu. Sua próxima paciente era Zedka, que deveria receber alta, mas Dr. Igor pediu que esperasse um pouco; precisava tomar algumas notas sobre a conversa que acabara de ter.

Era necessário incluir um extenso capítulo sobre sexo na sua dissertação sobre o Vitríolo. Afinal, grande parte das neuroses e psicoses provinham dali — segundo ele, as fantasias são impulsos elétricos no cérebro, e, uma vez não sendo realizadas, terminam descarregando sua energia em outras áreas.

Durante seu curso de medicina, Dr. Igor lera um interessante tratado sobre as minorias sexuais: sadismo, masoquismo, homossexualismo, coprofagia, voyeurismo, desejo de dizer palavras sórdidas — enfim, a lista era muito extensa. No início, achava que aquilo era apenas o desvio de algumas pessoas desajustadas, que não conseguiam ter um relacionamento saudável com seu parceiro.

Entretanto, à medida que ia avançando na profissão de psiquiatra — e entrevistando seus pacientes — dava-se conta que todo mundo tinha algo de diferente para contar. Sentavam-se na confortável poltrona de seu escritório, olhavam para baixo, e começavam uma longa dissertação sobre o que chamavam de "doenças" (como se não fosse ele o médico!) ou "perversões" (como se não fosse ele o psiquiatra encarregado de decidir!).

E, uma por uma, as pessoas "normais" descreviam fantasias que constavam do famoso livro sobre as minorias eróticas — um livro, aliás, que defendia o direito de cada um ter o orgasmo que quisesse, desde que não violentasse o direito do seu parceiro.

Mulheres que tinham estudado em colégios de freira gostavam em serem humilhadas [...] [...] o gravata, funcionários públicos [...] dizendo que gastavam fortunas com [...] [...] para que apenas pudessem [...] pés. Rapazes apaixonados por rapa[...] moradas pelas amigas de colégio. N[...] riam ver suas mulheres possuídas po[...] lheres que se masturbavam cada vez c[...] uma pista do adultério do seu hor[...] precisavam controlar o impulso de er[...] meiro homem que tocava a campain[...] algo, pais que contavam aventuras [...] raríssimos travestis que conseguiam [...] controle da fronteira.

E orgias. Parecia que todo mu[...] uma vez na vida, desejava participar [...]

Dr. Igor largou um pouco a [...] sobre si mesmo: ele também? Sim, ele também gostaria. A orgia, tal qual a imaginava, devia ser algo

completamente anárquico, alegre, onde o sentimento de posse não existia mais — apenas o prazer e a confusão.

Seria este um dos principais motivos para a grande quantidade de pessoas envenenadas pela Amargura? Casamentos restritos a um monoteísmo forçado, onde o desejo sexual — segundo estudos que o Dr. Igor guardava cuidadosamente em sua biblioteca médica — desaparecia no terceiro ou quarto ano de convivência. A partir dali, a mulher sentia-se rejeitada, o homem sentia-se escravo do casamento — e o Vitríolo, a Amargura, começava a destruir tudo.

As pessoas, diante de um psiquiatra, falavam mais abertamente do que diante de um padre — porque o médico não pode ameaçar com inferno. Durante sua longa carreira de psiquiatra, Dr. Igor já tinha ouvido praticamente tudo que elas tinham para contar.

Contar. Raramente *fazer.* Mesmo depois de vários anos de profissão, ele ainda se perguntava por que tanto medo de ser diferente.

Quando procurava saber a razão, a resposta que mais escutava era: "meu marido vai pensar que sou uma prostituta". Quando era um homem que estava na sua frente, este invariavelmente dizia: "minha mulher merece respeito".

E a conversa geralmente parava por aí. Não adiantava dizer que todas as pessoas tinham um perfil sexual diferente, tão distinto como as suas impressões digitais: ninguém queria acreditar nisso. Era muito arriscado ser livre na cama, com medo de que o outro ainda fosse escravo de seus preconceitos.

"Não vou mudar o mundo", resignou-se, pedindo que a enfermeira mandasse entrar a ex-depressiva.

"Mas pelo menos posso dizer o que penso em minha tese."

Eduard viu que Veronika saía do consultório do Dr. Igor, e encaminhava-se para a enfermaria. Teve vontade de contar seus segredos, abrir sua alma para ela, com a mesma honestidade e liberdade com que — na noite anterior — ela abrira seu corpo para ele.

Tinha sido uma das mais duras provas por que passara — desde que ingressara em Villete como esquizofrênico. Mas conseguira resistir, e estava contente — embora seu desejo de voltar a este mundo começasse a incomodá-lo.

"Todo mundo aqui sabe que esta moça não resistirá até o final da semana. Não adiantaria nada."

Ou talvez, justamente por isso, fosse bom dividir com ela a sua história. Há três anos conversava apenas com Mari, e mesmo assim não tinha certeza de que ela o compreendia perfeitamente; como mãe, ela devia achar que seus pais tinham razão, que desejavam apenas o melhor para ele, que as visões do paraíso eram um sonho bobo de adolescente, totalmente fora do mundo real.

Visões do Paraíso. Exatamente o que o levara ao inferno, às brigas sem fim com a família, à sensação de culpa tão forte que o deixara incapaz de reagir, e o obrigara a refugiar-se num outro mundo. Se não fosse por Mari, ele ainda estaria vivendo nesta realidade separada.

Entretanto Mari aparecera, cuidara dele, fizera com que se sentisse de novo amado. Graças a isso,

Eduard ainda era capaz de saber o que acontecia a sua volta.

Há alguns dias atrás, uma moça de sua idade sentara-se ao piano para tocar "Sonata ao Luar". Sem saber se a culpa era da música, ou da moça, ou da lua, ou do tempo que já passara em Villete, Eduard sentira que as visões do Paraíso começavam a incomodá-lo de novo.

Ele a seguiu até a enfermaria de mulheres, onde foi barrado por um enfermeiro.

— Aqui você não pode entrar, Eduard. Volte para o jardim; está amanhecendo, e vai fazer um dia lindo.

Veronika olhou para trás.

— Vou dormir um pouco — ela lhe disse, delicadamente. — Conversamos quando eu acordar.

Veronika não entendia por que, mas aquele rapaz passara a fazer parte do seu mundo — ou do pouco que restara dele. Tinha certeza que Eduard era capaz de compreender sua música, admirar seu talento; mesmo que não conseguisse dar uma palavra, seus olhos diziam tudo.

Como neste momento, na porta da enfermaria, quando falavam coisas que ela não queria ouvir.

Ternura. Amor.

"Esta convivência com doentes mentais me fez enlouquecer rápido." Esquizofrênicos não sentem isso — não por seres deste mundo.

Veronika sentiu o impulso de voltar para lhe dar um beijo, mas controlou-se; o enfermeiro podia ver, contar ao Dr. Igor, e o médico na certa não daria

permissão para que uma mulher que beija esquizofrênicos saísse de Villete.

Eduard encarou o enfermeiro. Sua atração por aquela moça era mais forte do que imaginava — mas precisava se controlar, ia aconselhar-se com Mari, a única pessoa com quem dividia seus segredos. Na certa ela lhe diria que o que estava querendo sentir — amor — era perigoso e inútil num caso como aqueles. Mari pediria para que Eduard deixasse de bobagem, e voltasse a ser um esquizofrênico normal (e depois daria uma risada gostosa, porque a frase não fazia qualquer sentido).

Juntou-se aos outros internos no refeitório, comeu o que lhe ofereceram, e saiu para o obrigatório passeio no jardim. Durante o "banho de sol" (naquele dia a temperatura estava abaixo de zero), ele tentou aproximar-se de Mari. Mas ela estava com um jeito de alguém que deseja ficar sozinho. Não precisava dizer-lhe nada, pois Eduard conhecia o suficiente da solidão para saber respeitá-la.

Um novo interno chegou perto de Eduard. Ainda não devia conhecer as pessoas.

"Deus puniu a humanidade", dizia. "E puniu com a peste. Entretanto, eu O vi em meus sonhos — Ele pediu que eu viesse salvar a Eslovênia."

Eduard começou a afastar-se, enquanto o homem gritava:

"Você acha que sou louco? Então leia os evangelhos! Deus enviou Seu filho, e Seu filho volta pela segunda vez!"

Mas Eduard já não o ouvia mais. Olhava as montanhas do lado de fora, e perguntava o que estava acontecendo com ele. Por que tinha vontade de sair dali, se encontrara finalmente a paz que tanto buscava? Por que arriscar-se a envergonhar de novo os seus pais, quando todos os problemas da família já estavam resolvidos? Começou a ficar agitado, andando de um lado para o outro, esperando que Mari saísse de seu mutismo e pudessem conversar — mas ela parecia mais distante que nunca.

Sabia como fugir de Villete — por mais severa que a segurança pudesse parecer, tinha muitas falhas. Simplesmente porque, uma vez do lado de dentro, as pessoas tinham muito pouca vontade de voltar para o lado de fora. Havia um muro, do lado oeste, que podia ser escalado sem grandes dificuldades, já que estava cheio de rachaduras; quem resolvesse ultrapassá-lo logo estaria num campo, e — cinco minutos depois, seguindo em direção norte — encontraria uma estrada para a Croácia. A guerra já tinha terminado, os irmãos eram de novo irmãos, as fronteiras não eram mais tão vigiadas como antes; com um pouco de sorte, poderia estar em Belgrado em seis horas.

Eduard já estivera várias vezes naquela estrada, mas sempre resolvera voltar, porque ainda não havia recebido um sinal para ir adiante. Agora as coisas eram

diferentes: este sinal finalmente chegara, sob a forma de uma moça de olhos verdes, cabelos castanhos, e jeito assustado de quem acredita que sabe o que quer.

Eduard pensou em ir direto para o muro, sair dali, e nunca mais ser visto na Eslovênia. Mas a moça dormia, ele precisava ao menos despedir-se dela.

No final do banho de sol, quando a Fraternidade se reuniu na sala de estar, Eduard juntou-se a eles.

— O que este louco está fazendo aqui? — perguntou o mais velho do grupo.

— Deixe-o — disse Mari. — Nós também somos loucos.

Todos riram, e começaram a conversar sobre a palestra do dia anterior. A questão era: será que realmente a meditação sufi podia transformar o mundo? Apareceram teorias, sugestões, modos de usar, idéias contrárias, críticas ao conferencista, maneiras de melhorar o que já havia sido testado por tantos séculos.

Eduard estava farto daquele tipo de discussão. As pessoas se trancavam num hospício e ficavam salvando o mundo, sem se preocuparem em correr os riscos — porque sabiam que lá fora todos os chamariam de ridículos, mesmo que tivessem idéias muito concretas. Cada uma daquelas pessoas tinha uma teoria especial sobre tudo, e acreditava que sua verdade era a única que importava; passavam dias, noites, semanas, e anos conversando, sem jamais aceitarem a única realidade que há por trás de uma idéia: boa ou má, ela só existe quando alguém tenta colocá-la em prática.

O que era meditação sufi? O que era Deus? O que era a salvação, se é que o mundo precisava ser salvo?

Nada. Se todos ali — e lá fora — vivessem suas vidas e deixassem que os outros fizessem o mesmo, Deus estaria em cada instante, em cada grão de mostarda, no pedaço de nuvem que se mostra e se desfaz no momento seguinte. Deus estava ali, e mesmo assim as pessoas acreditavam que era preciso continuar procurando, porque parecia simples demais aceitar que a vida era um ato de fé.

Lembrou-se do exercício tão singelo, tão simples, que escutara o mestre sufi ensinando, enquanto esperava Veronika voltar ao piano: olhar uma rosa. Era preciso mais que isso?

Mesmo assim, depois da experiência da meditação profunda, depois de terem chegado tão perto das visões do paraíso, ali estavam aquelas pessoas discutindo, argumentando, criticando, estabelecendo teorias.

Cruzou seus olhos com os de Mari. Ela evitou-o, mas Eduard estava decidido a terminar de vez com aquela situação; aproximou-se dela e segurou-a pelo braço.

— Pare com isso, Eduard.

Ele podia dizer: "venha comigo". Mas não queria fazê-lo na frente daquela gente, que ficaria surpresa com o tom firme de sua voz. Por isso, preferiu ajoelhar-se e implorar com seus olhos.

Os homens e mulheres riram.

— Você virou uma santa para ele, Mari — alguém comentou. — Foi a meditação de ontem.

Mas os anos de silêncio de Eduard o tinham ensinado a falar com os olhos; era capaz de colocar toda a sua energia neles. Da mesma maneira que tinha absoluta certeza que Veronika percebera sua ternura e

seu amor, sabia que Mari iria entender seu desespero, porque ele estava precisando muito dela.

Ela relutou mais um pouco. Finalmente, levantou-o e pegou-o pela mão.

— Vamos dar um passeio — disse. — Você está nervoso.

Os dois tornaram a sair para o jardim. Assim que estavam a uma distância segura, certos de que ninguém assistia a conversa, Eduard quebrou o silêncio.

— Durante anos permaneci aqui em Villete — disse. — Deixei de envergonhar meus pais, deixei minhas ambições de lado, mas as visões do Paraíso permaneceram.

— Sei disso — respondeu Mari. — Já conversamos a respeito muitas vezes. E sei também onde você quer chegar: é hora de sair.

Eduard olhou o céu; será que ela sentia o mesmo?

— E é por causa da garota — continuou Mari. — Já vimos muita gente morrer aqui dentro, sempre no momento em que não esperavam, e geralmente depois de terem desistido da vida. Mas esta é a primeira vez que isso acontece com uma pessoa jovem, bonita, saudável — com tanta coisa pela frente para viver.

"Veronika é a única que não desejaria continuar em Villete para sempre. E isto nos fez perguntar: e nós? O que procuramos aqui?"

Ele fez um sinal afirmativo com a cabeça.

— Então, ontem à noite, eu também me perguntei o que estava fazendo neste sanatório. E achei que seria muito mais interessante estar na praça, nas Três Pontes, no mercado em frente ao teatro — comprando

maçãs e discutindo o tempo. Claro que estaria lidando com coisas já esquecidas — como contas a pagar, dificuldades com os vizinhos, olhar irônico de gente que não me compreende, solidão, reclamações de meus filhos. Mas penso que isso tudo faz parte da vida, e o preço de enfrentar estes pequenos problemas é bem menor que o preço de não reconhecê-los como nossos.

"Estou pensando em ir à casa de meu ex-marido hoje, só para dizer 'obrigada'. O que você acha?"

— Nada. Será que devia ir até a casa dos meus pais, e dizer o mesmo?

— Talvez. No fundo, a culpa de tudo que acontece em nossa vida é exclusivamente nossa. Muitas pessoas passaram pelas mesmas dificuldades que passamos, e reagiram de maneira diferente. Nós procuramos o mais fácil: uma realidade separada.

Eduard sabia que Mari tinha razão.

— Estou com vontade de recomeçar a viver, Eduard. Cometendo os erros que sempre desejei e nunca tive coragem. Enfrentando o pânico que pode voltar a surgir, mas cuja presença apenas me dará cansaço, porque sei que não vou morrer ou desmaiar por causa dele. Posso arranjar novos amigos, e ensiná-los a serem loucos, para que sejam sábios. Direi que não sigam o manual do bom comportamento, descubram suas próprias vidas, desejos, aventuras, e VIVAM! Citarei o Eclesiastes para os católicos, o Corão para os islâmicos, a Torah para os judeus, os textos de Aristóteles para os ateus. Nunca mais quero ser advogada, mas posso usar minha experiência para dar conferências sobre homens e mulheres que conheceram a verdade desta existência, e cujos escritos podem ser resumidos em uma única palavra: "Vivam". Se você viver,

Deus viverá com você. Se você se recusar a correr seus riscos, Ele retornará ao distante Céu, e será apenas um tema de especulação filosófica.

"Todo mundo sabe disso. Mas ninguém dá o primeiro passo. Talvez por medo de ser chamado de louco. E, pelo menos, este medo nós não temos, Eduard. Já passamos por Villete."

— Só não podemos ser candidatos à Presidência da República. A oposição ia explorar muito o nosso passado.

Mari riu e concordou.

— Cansei desta vida. Não sei se vou conseguir superar meu medo, mas estou farta da Fraternidade, deste jardim, de Villete, de fingir que sou louca.

— Se eu fizer isso, você faz?

— Você não fará isso.

— Quase fiz, há alguns minutos atrás.

— Não sei. Cansei disso tudo, mas já estou acostumada.

— Quando entrei aqui, com diagnóstico de esquizofrenia, você passou dias, meses, me dando atenção e me tratando como um ser humano. Eu também estava me acostumando com a vida que decidira levar, com a outra realidade que criei, mas você não deixou. Eu a odiei, e hoje a amo. Quero que você saia de Villete, Mari, como eu saí do meu mundo separado.

Mari afastou-se sem dar resposta.

Na pequena — e nunca freqüentada — biblioteca de Villete, Eduard não achou o Corão, nem Aristóteles, nem outros filósofos que Mari se referira. Mas ali estava o texto de um poeta:

*"Por isso disse para mim mesmo: 'a sorte do
insensato será também a minha.'
"Vai, come teu pão com alegria,
e bebe gostosamente o teu vinho
porque Deus já aceitou tuas obras.
Que tuas vestes sejam brancas todo o tempo,
e nunca falte perfume em tua cabeça.
Desfruta a vida com a mulher amada
em todos os teus dias de vaidade que Deus
te concedeu debaixo do sol.
Porque esta é tua porção na vida
e no trabalho que te afadigas debaixo do sol.
Segue os caminhos do teu coração
e o desejo dos teus olhos,
sabendo que Deus te pedirá contas."*

— Deus pedirá contas no final — disse Eduard
em voz alta — E eu direi: "por algum tempo da minha
vida fiquei olhando o vento, me esqueci de semear,
não desfrutei meus dias, nem sequer bebi o vinho que
me era oferecido. Mas um dia me julguei pronto, e
voltei ao meu trabalho. Contei aos homens as minhas
visões do Paraíso, como Bosch, Van Gogh, Wagner,
Beethoven, Einstein, e outros loucos fizeram antes de
mim." Bom, Ele dirá que eu saí do hospício para não
ver uma menina morrendo, mas ela estará lá no céu, e
intercederá por mim.

— O que você está dizendo? — interrompeu o
encarregado da biblioteca.

— Quero sair de Villete agora — respondeu
Eduard, num tom de voz mais alto do que o normal.
— Tenho o que fazer.

O empregado apertou uma campainha, e em pouco tempo dois enfermeiros apareceram.

— Quero sair — repetiu Eduard, agitado. — Estou bem, deixe-me falar com o Dr. Igor.

Mas os dois homens já o tinham agarrado, um por cada braço. Eduard tentava soltar-se dos braços dos enfermeiros, mesmo sabendo que era inútil.

— Você está tendo uma crise, fique tranqüilo — disse um deles. — Vamos cuidar disso.

Eduard começou a debater-se.

— Deixem-me falar com o Dr. Igor. Tenho muito o que dizer a ele, tenho certeza que vai entender!

Os homens já o arrastavam para a enfermaria.

— Soltem-me! — gritava. — Deixem-me falar pelo menos um minuto!

O caminho para a enfermaria passava pelo meio da sala de estar, e todos os outros internos estavam ali reunidos. Eduard debatia-se, e o ambiente começou a ficar agitado.

— Deixe-o livre! Ele é louco!

Alguns riam, outros batiam com as mãos nas mesas e cadeiras.

— Isto é um hospício! Ninguém é obrigado a se comportar como vocês!

Um dos homens sussurrou para o outro:

— Precisamos assustá-los, ou daqui a pouco a situação se tornará incontrolável.

— Só há um jeito.

— Dr. Igor não vai gostar.

— Será pior ver este bando de maníacos quebrando seu sanatório adorado.

Veronika acordou sobressaltada, suando frio. O barulho lá fora era grande, e ela precisava de silêncio para continuar a dormir. Mas a barulheira continuava.

Levantou-se meio tonta, e caminhou até a sala de estar, a tempo de ver Eduard sendo arrastado, enquanto outros enfermeiros chegavam às pressas com seringas preparadas.

— O que vocês estão fazendo? — gritou.

— Veronika!

O esquizofrênico tinha falado com ela! Tinha dito o seu nome! Numa mistura de vergonha e surpresa, tentou aproximar-se, mas um dos enfermeiros a impediu.

— O que é isso? Eu não estou aqui porque sou louca! Vocês não podem me tratar assim!

Conseguiu empurrar o enfermeiro, enquanto os outros internos gritavam e faziam uma algazarra que a deixou com medo. Será que devia procurar o Dr. Igor, e ir embora imediatamente?

— Veronika!

Ele dissera de novo o seu nome. Num esforço sobre-humano, Eduard conseguiu livrar-se dos dois homens. Ao invés de sair correndo, ficou em pé, imóvel, da mesma maneira que ficara na noite anterior. Como num passe de mágica, todo mundo parou, esperando o próximo movimento.

Um dos enfermeiros tornou a aproximar-se, mas Eduard olhou-o, usando de novo toda a sua energia.

— Vou com vocês. Já sei aonde estão me levando, e sei também que desejam que todos saibam. Esperem apenas um minuto.

O enfermeiro decidiu que valia a pena correr o risco; afinal de contas, tudo parecia haver voltado ao normal.

— Eu acho que você... eu acho que você é importante para mim — disse Eduard para Veronika.

— Você não pode falar. Você não vive neste mundo, não sabe que eu me chamo Veronika. Você não esteve comigo ontem à noite, por favor, diga que não esteve!

— Estive.

Ela pegou sua mão. Os loucos gritavam, aplaudiam, diziam coisas obscenas.

— Onde estão te levando?

— Para um tratamento.

— Eu vou com você.

— Não vale a pena. Você vai ficar assustada, mesmo que eu lhe garanta que não dói, não se sente nada. E é muito melhor que os calmantes, porque a lucidez volta mais rápido.

Veronika não sabia do que ele estava falando. Arrependera-se de ter segurado sua mão, queria ir embora o mais rápido possível, esconder sua vergonha, nunca mais ver aquele homem que presenciara o que havia de mais sórdido nela — e mesmo assim continuava a tratá-la com ternura.

Mas, de novo, lembrou-se das palavras de Mari: não precisava dar explicações de sua vida para ninguém, nem mesmo para o rapaz a sua frente.

— Eu vou com você.

Os enfermeiros acharam que talvez fosse melhor assim: o esquizofrênico já não precisava ser dominado, estava indo por vontade própria.

Quando chegaram no dormitório, Eduard deitou-se voluntariamente na cama. Já havia mais dois homens esperando, com uma estranha máquina e uma bolsa com tiras de pano.

Eduard virou-se para Veronika, e pediu que sentasse na cama ao lado.

— Em alguns minutos, a história vai correr por Villete inteira. E as pessoas ficarão calmas, porque mesmo a mais furiosa das loucuras carrega sua dose de medo. Só quem já passou por isso, é que sabe que não é tão terrível assim.

Os enfermeiros escutaram a conversa, e não acreditaram no que o esquizofrênico dizia. Devia doer muito — mas ninguém pode saber o que se passa na cabeça de um louco. A única coisa que o rapaz dissera de sensato era sobre o medo: a história correria por Villete, e a calma voltaria rapidamente.

— Você se deitou antes da hora — disse um deles.

Eduard levantou-se, e eles estenderam uma espécie de cobertor de borracha. "Agora sim, pode deitar."

Ele obedeceu. Estava tranqüilo, como se tudo aquilo não passasse de rotina.

Os enfermeiros amarraram algumas tiras de pano em torno do corpo de Eduard, e colocaram uma borracha em sua boca.

— É para que ele não morda involuntariamente a língua — disse um dos homens para Veronika, contente de dar uma informação técnica junto com uma advertência.

Colocaram a estranha máquina — não muito maior que uma caixa de sapatos, com alguns botões e três visores com ponteiros — numa cadeira ao lado da cama. Dois fios saíam da sua parte superior, e terminavam em algo parecido com fones de ouvido.

Um dos enfermeiros colocou os fones nas têmporas de Eduard. O outro pareceu regular o mecanismo, torcendo alguns botões, ora para a direita, ora para a esquerda. Embora não podendo falar por causa da borracha na boca, Eduard mantinha seus olhos nos dela, e parecia dizer: "não se preocupe, não se assuste".

— Está regulado para 130 volts em 0.3 segundos — disse o enfermeiro que cuidava da máquina. — Lá vai.

Ele apertou um botão, e a máquina emitiu um zumbido. Neste mesmo momento, os olhos de Eduard ficaram vidrados, seu corpo retorceu-se na cama com tal fúria que — se não fosse pelas tiras de pano amarradas — teria partido a coluna.

— Parem com isso! — gritou Veronika.

— Já paramos — respondeu o enfermeiro, retirando os fones da cabeça de Eduard. Mesmo assim, o corpo continuava a contorcer-se, a cabeça balançando de um lado para o outro, com tal violência que um dos homens resolveu agarrá-la. O outro guardou a máquina numa sacola, e sentou-se para fumar um cigarro.

A cena durou alguns minutos. O corpo parecia voltar ao normal, e logo recomeçavam os espasmos — enquanto um dos enfermeiros redobrava sua força para manter firme a cabeça de Eduard. Aos poucos, as contrações foram diminuindo, até que cessaram por completo. Eduard mantinha os olhos abertos, e um dos homens fechou-os, como se faz com os mortos.

Depois tirou a borracha da boca do rapaz, desamarrou-o, e guardou as tiras de pano na sacola onde estava a máquina.

— O efeito do eletrochoque dura uma hora — disse para a moça, que já não gritava mais, e parecia hipnotizada pelo que estava vendo. — Está tudo bem, ele logo voltará ao normal, e estará mais calmo.

Assim que a descarga elétrica atingiu-o, Eduard sentiu o que já experimentara antes: a visão normal ia diminuindo, como se alguém fechasse uma cortina — até que tudo desaparecia por completo. Não havia qualquer dor ou sofrimento — mas já assistira a outros loucos sendo tratados por eletrochoque, e sabia o quanto horrível parecia a cena.

Eduard agora estava em paz. Se, momentos antes, estava reconhecendo algum tipo de sentimento novo em seu coração, se começava a perceber que o amor não era apenas aquilo que seus pais lhe davam, o eletrochoque — ou Terapia Eletroconvulsiva (TEC), como preferiam chamar os especialistas — com certeza iria fazê-lo voltar ao normal.

O principal efeito da TEC era o esquecimento das memórias recentes. Eduard não podia alimentar sonhos impossíveis. Não podia ficar olhando para um

futuro que não existia; seus pensamentos deviam permanecer voltados para o passado, ou ia terminar querendo retornar novamente à vida.

Uma hora mais tarde, Zedka entrou na enfermaria quase deserta — exceto por um leito, onde um
rapaz estava deitado. E por uma cadeira, onde uma
moça estava sentada.

Quando chegou perto, viu que a moça havia
vomitado de novo, e sua cabeça estava baixa, penden-
do para a direita.

Zedka virou-se para chamar socorro, mas Veronika levantou a cabeça.

— Não é nada — disse. — Tive outro ataque,
mas já passou.

Zedka pegou-a carinhosamente, e levou-a até o
banheiro.

— É um banheiro de homens — disse a moça.

— Não há ninguém aqui, não se preocupe.

Retirou o suéter imundo, lavou-o, e colocou-o
em cima do radiador de calefação. Depois, tirou sua
própria blusa de lã, e vestiu-a em Veronika.

— Fique com isso. Vim aqui para despedir-me.

A menina parecia distante, como se nada a interessasse mais. Zedka a conduziu de volta à cadeira onde
ela estava sentada.

— Eduard vai acordar daqui a pouco. Talvez
custe a se lembrar do que aconteceu, mas a memória
retornará rápido. Não fique assustada se ele não a
reconhecer nos primeiros instantes.

— Não ficarei — respondeu Veronika. — Porque tampouco reconheço a mim mesma.

Zedka puxou uma cadeira, e sentou-se ao lado dela. Ficara em Villete tanto tempo, que não custava permanecer mais alguns minutos com aquela menina.

— Lembra-se de nosso primeiro encontro? Naquele dia eu lhe contei uma história, para tentar explicar que o mundo é exatamente da maneira que o vemos. Todos achavam o rei louco, porque ele queria impor uma ordem que já não existia na mente dos seus súditos.

"Entretanto, há coisas na vida que, não importa de que lado as enxerguemos, continuam sempre as mesmas — e valem para todo mundo. Como o amor, por exemplo."

Zedka notou que os olhos de Veronika haviam mudado. Resolveu continuar.

— Eu diria que, se alguém tem muito pouco tempo de vida, e resolve passar este pouco tempo que lhe resta diante de uma cama, olhando um homem dormindo, há algo de amor. Diria mais: se durante este tempo, esta pessoa teve um ataque cardíaco, e ficou em silêncio — só para não ter que sair de perto daquele homem — é porque este amor pode crescer muito.

— Pode ser também desespero — disse Veronika.
— Uma tentativa de provar que, afinal de contas, não há motivos para se continuar lutando debaixo do sol. Não posso estar apaixonada por um homem que vive em outro mundo.

— Todos nós vivemos em nosso próprio mundo. Mas se você olhar para o céu estrelado, verá que todos estes mundos diferentes se combinam, formando constelações, sistemas solares, galáxias.

Veronika levantou-se e foi até a cabeceira de Eduard. Carinhosamente, passou as mãos nos seus cabelos. Estava contente por ter alguém com quem conversar.

— Há muitos anos atrás, quando eu era uma criança e minha mãe me obrigava a aprender piano, eu dizia a mim mesma que só seria capaz de tocá-lo bem quando estivesse apaixonada. Ontem à noite, pela primeira vez na minha vida, senti que as notas saíam de meus dedos como se eu não tivesse controle algum sobre o que fazia.

"Uma força me guiava, construía melodias e acordes que nunca pensei ser capaz de tocar. Eu me entregara ao piano porque tinha acabado de me entregar a este homem, sem que ele tivesse tocado um fio sequer do meu cabelo. Ontem eu não fui eu mesma, nem quando me entreguei ao sexo, nem quando toquei piano. Mesmo assim, acho que fui eu mesma."

Veronika balançou a cabeça.

— Nada do que estou dizendo faz sentido.

Zedka lembrou-se de seus encontros no espaço, com todos aqueles seres que flutuavam em dimensões diferentes. Quis contar para Veronika, mas ficou com medo de confundi-la mais ainda.

— Antes que você repita que vai morrer, quero dizer algo: há gente que passa a vida inteira procurando um momento como o que você teve ontem à noite, e não consegue. Por isso, se você tiver que morrer agora, morra com o coração cheio de amor.

Zedka levantou-se.

— Você não tem nada a perder. Muita gente não se permite amar justamente por causa disso — porque há muita coisa, muito futuro e passado em jogo. No seu caso, existe apenas o presente.

Ela aproximou-se, e deu um beijo em Veronika.

— Se eu ficar aqui por mais tempo, vou terminar desistindo de ir embora. Estou curada da minha depressão, mas descobri, aqui dentro, outros tipos de loucura. Quero carregá-los comigo, e começar a ver a vida com meus próprios olhos.

"Quando entrei, era uma mulher deprimida. Hoje, sou uma mulher louca, e tenho muito orgulho disso. Lá fora, me comportarei exatamente como os outros. Farei as compras no supermercado, conversarei trivialidades com minhas amigas, perderei algum tempo importante diante da televisão. Mas sei que minha alma está livre, e eu posso sonhar e conversar com outros mundos que, antes de entrar aqui, nem sonhava que existiam.

"Vou me permitir fazer algumas bobagens, só para que as pessoas digam: ela saiu de Villete! Mas sei que minha alma estará completa, porque minha vida tem um sentido. Poderei olhar um pôr-do-sol e acreditar que Deus está por trás dele. Quando alguém me aborrecer muito, eu direi alguma barbaridade, e não vou me incomodar com o que pensam, já que todos dirão: ela saiu de Villete!

"Vou olhar os homens na rua, dentro de seus olhos, sem vergonha de me sentir desejada. Mas, logo depois, passarei numa loja de produtos importados, comprarei os melhores vinhos que meu dinheiro puder comprar, e farei meu marido beber junto comigo, porque quero rir com ele — a quem tanto amo.

"Ele me dirá, rindo: você está louca! E eu responderei: claro, estive em Villete! E a loucura me libertou. Agora, meu adorado marido, você tem que pedir férias todos os anos, e me levar a conhecer algumas monta-

173

nhas perigosas, porque preciso correr o risco de estar viva.

"As pessoas vão dizer: ela saiu de Villete, e está enlouquecendo o marido! E ele entenderá que as pessoas têm razão, e dará graças a Deus porque o nosso casamento está começando agora, e nós somos loucos — como são loucos os que inventaram o amor."

Zedka saiu, cantarolando uma música que Veronika nunca havia escutado.

O dia estava sendo exaustivo, mas recompensador. O Dr. Igor procurava manter a fleugma e a indiferença de um cientista, mas quase não conseguia controlar seu entusiasmo: os testes para a cura do envenenamento por Vitríolo estavam dando resultados surpreendentes!

— Você não tem hora marcada hoje — disse para Mari, que havia entrado sem bater na porta.

— Não vou demorar muito. Na verdade, gostaria de pedir apenas uma opinião.

"Hoje todos estão querendo apenas uma opinião", pensou o Dr. Igor, lembrando-se da menina e sua pergunta sobre sexo.

— Eduard acaba de receber um choque elétrico.

— Terapia Eletroconvulsiva; por favor use o nome correto, ou vai parecer que somos um grupo de bárbaros. — Dr. Igor conseguira disfarçar a surpresa, mas depois iria apurar quem tinha decidido aquilo. — E se você quer minha opinião sobre o assunto, devo esclarecer que a TEC não é aplicada hoje como era antigamente.

— Mas é perigoso.

— Era muito perigoso; não sabiam a voltagem exata, o local certo onde colocar os eletrodos, e muita gente morreu de derrame cerebral durante o tratamen-

to. Mas as coisas mudaram: hoje em dia, a TEC está voltando a ser utilizada com muito mais precisão técnica, e tem a vantagem de provocar uma amnésia rápida, evitando a intoxicação química por uso prolongado de medicamentos. Leia algumas revistas psiquiátricas, por favor, e não confunda a TEC com os choques elétricos dos torturadores sul-americanos.

"Pronto. A opinião pedida está dada. Agora tenho que voltar ao trabalho."

Mari não se mexeu.

— Não foi isso que vim perguntar. Na verdade, o que quero saber é se posso sair daqui.

— Você sai quando quer, e volta porque assim deseja — e porque seu marido ainda tem dinheiro para mantê-la num lugar caro como este. Talvez você devesse me perguntar: estou curada? E minha resposta é outra pergunta: curada de quê?

"Você dirá: curada do meu medo, da Síndrome de Pânico. E eu responderei: bem, Mari, há três anos você não sofre mais disso."

— Então estou curada.

— Claro que não. Sua doença não é essa. Na tese que estou escrevendo para apresentar à Academia de Ciências da Eslovênia (Dr. Igor não queria entrar em detalhes sobre o Vitríolo), procuro estudar o comportamento humano dito "normal". Muitos médicos antes de mim já fizeram este estudo, chegando à conclusão que a normalidade é apenas uma questão de consenso; ou seja, se muita gente pensa que uma coisa está certa, esta coisa passa a estar certa.

"Existem coisas que são governadas pelo bom senso humano: colocar os botões na frente da camisa é uma questão lógica, já que ficaria muito difícil abo-

toá-los de lado, e impossível abotoá-los se estivessem nas costas.

"Outras coisas, porém, vão se impondo porque cada vez mais gente acredita que elas têm que ser assim. Vou lhe dar dois exemplos: você já se perguntou por que as letras de um teclado de máquina de escrever são colocadas naquela ordem?

— Nunca me perguntei isso.

— Chamemos este teclado de QWERTY, já que as letras da primeira linha estão dispostas assim. Eu me perguntei o porquê disso, e encontrei a resposta: a primeira máquina foi inventada por Christopher Scholes, em 1873, para melhorar a caligrafia. Mas ela apresentava um problema: se a pessoa datilografava com muita velocidade, os tipos se chocavam e travavam a máquina. Então Scholes desenhou o teclado QWERTY, *um teclado que obrigava os datilógrafos a andarem devagar.*

— Não acredito.

— Mas é verdade. Acontece que a Remington — na época, fabricante de máquinas de costura — usou o teclado QWERTY para suas primeiras máquinas de escrever. O que significa que mais pessoas foram obrigadas a aprender este sistema, e mais companhias passaram a fabricar estes teclados, até que ele se tornou o único padrão existente. Repetindo: o teclado das máquinas, e dos computadores, foi desenhado para que se digitasse mais lentamente, e não mais rápido, entendeu? Vá tentar trocar as letras de lugar, e não encontrará um comprador para o seu produto.

Quando vira um teclado pela primeira vez, Mari perguntara-se por que não estava em ordem alfabética. Mas nunca mais repetira a pergunta — acreditava que

aquele era o melhor desenho para que as pessoas datilografassem rápido.

— Você conhece Florença? — perguntou o Dr. Igor.

— Não.

— Devia conhecer, não está muito longe, e ali está o meu segundo exemplo. Na Catedral de Florença, há um relógio belíssimo, desenhado por Paolo Uccello em 1443. Acontece que este relógio tem uma curiosidade: embora marque as horas — como todos os outros — os ponteiros andam em sentido contrário ao que estamos acostumados.

— O que isso tem a ver com minha doença?

— Eu vou chegar lá. Paolo Uccello, ao criar este relógio, não estava tentando ser original: na verdade, naquele momento havia alguns relógios assim, e outros com os ponteiros andando no sentido que hoje conhecemos. Por alguma razão desconhecida, talvez porque o Duque tinha um relógio com os ponteiros andando no sentido que hoje conhecemos como "certo", este terminou se impondo como o único sentido — e o relógio de Uccello passou a ser uma aberração, uma loucura.

Dr. Igor fez uma pausa. Mas sabia que Mari estava acompanhando o seu raciocínio.

— Então, vamos a sua doença: cada ser humano é único, com suas próprias qualidades, instintos, formas de prazer, busca da aventura. Mas a sociedade termina impondo uma maneira coletiva de agir — e as pessoas não param para se perguntar por que precisam se comportar assim. Apenas aceitam, como os datilógrafos aceitaram o fato de que o QWERTY era o melhor teclado possível. Você conheceu alguém, em

toda a sua vida, que tenha perguntado por que os ponteiros de relógio andam numa direção, e não em sentido contrário?

— Não.

— Se alguém perguntasse, provavelmente iria escutar: você está louco! Se insistisse na pergunta, as pessoas tentariam achar uma razão, mas logo mudariam de assunto — porque não há qualquer razão além da que expliquei.

"Então eu volto a sua pergunta. Repita-a."

— Estou curada?

— Não. Você é uma pessoa diferente, querendo ser igual. E isto, no meu ponto de vista, é considerado uma doença grave.

— É grave ser diferente?

— É grave forçar-se a ser igual: provoca neuroses, psicoses, paranóias. É grave querer ser igual, porque isso é forçar a natureza, é ir contra as leis de Deus — que, em todos os bosques e florestas do mundo, não criou uma só folha igual a outra. Mas você acha uma loucura ser diferente, e por isso escolheu Villete para viver. Porque, aqui, como todos são diferentes, você passa a ser igual a todo mundo. Entendeu?

Mari fez que "sim" com a cabeça.

— Por não terem coragem de ser diferentes, as pessoas vão contra a natureza, e o organismo começa a produzir o Vitríolo — ou Amargura, como é vulgarmente conhecido este veneno.

— O que é Vitríolo?

Dr. Igor percebeu que tinha se empolgado muito, e resolveu mudar de assunto.

— Não tem importância o que é Vitríolo. O que quero dizer é o seguinte: tudo indica que você não está curada.

Mari tinha anos de experiência nos tribunais, e resolveu colocá-los em prática ali mesmo. A primeira tática era fingir que estava de acordo com o oponente, para logo em seguida enredá-lo num outro raciocínio.

— Concordo com o senhor. Eu vim aqui por um motivo muito concreto — a Síndrome do Pânico — e terminei ficando por um motivo muito abstrato: incapacidade de encarar uma vida diferente, sem emprego e sem marido. Concordo com o senhor: eu tinha perdido a vontade de começar uma vida nova, à qual precisava me acostumar de novo. E vou mais longe: concordo que num hospício, mesmo com os eletrochoques — perdão, TEC, como o senhor prefere —, os horários, os ataques de histeria de alguns internos, as regras são mais fáceis de aturar que as leis de um mundo que, como o senhor diz, *faz tudo para ser igual.*

"Acontece que, ontem à noite, eu ouvi uma mulher tocando piano. Ela tocou magistralmente, como raramente ouvi. Enquanto escutava as músicas, pensava em todos que sofreram para compor aquelas sonatas, prelúdios, adágios: no ridículo que passaram quando foram mostrar suas peças — diferentes — aos que mandavam no mundo da música. Na dificuldade e na humilhação de conseguir alguém que financiasse uma orquestra. Nas vaias que podem ter recebido de um público que ainda não estava acostumado com tais harmonias.

"Pior que tudo isso, eu pensava: não apenas os compositores sofreram, mas esta moça os está tocando com tanta alma, porque sabe que vai morrer. E eu, não

vou morrer também? Onde deixei minha alma, para poder tocar a música de minha vida com o mesmo entusiasmo?"

Dr. Igor ouvia em silêncio. Parece que tudo que havia pensado estava dando resultado, mas ainda era cedo para ter certeza.

— Onde deixei minha alma? — perguntou de novo Mari. — No meu passado. Naquilo que eu queria que fosse minha vida. Deixei minha alma presa naquele momento onde havia uma casa, um marido, um emprego do qual eu queria me livrar mas nunca tomava coragem.

"Minha alma estava em meu passado. Mas hoje ela chegou até aqui, e eu a sinto de novo em meu corpo, cheia de entusiasmo. Não sei o que fazer; sei apenas que demorei três anos para entender que a vida me empurrava para um caminho diferente, e eu não queria ir."

— Acho que noto alguns sintomas de melhora — disse o Dr. Igor.

— Eu não precisava pedir para deixar Villete. Bastava cruzar o portão, e nunca mais voltar. Mas precisava dizer tudo isso a alguém, e estou dizendo ao senhor: a morte desta menina me fez entender minha vida.

— Penso que estes sintomas de melhora estão se transformando numa cura milagrosa — riu o Dr. Igor. — O que pretende fazer?

— Ir para El Salvador, cuidar das crianças.

— Não precisa ir tão longe: a menos de duzentos quilômetros daqui, está Sarajevo. A guerra terminou, mas os problemas continuam.

— Irei para Sarajevo.

O Dr. Igor tirou um formulário da gaveta, preencheu-o cuidadosamente. Depois levantou-se, e conduziu Mari até a porta.

— Vá com Deus — disse ele, voltando para o escritório e fechando logo a porta. Não gostava de se afeiçoar aos seus pacientes, mas nunca conseguia evitar. Mari ia fazer falta em Villete.

Quando Eduard abriu os olhos, a moça ainda estava ali. Em suas primeiras sessões de eletrochoque, passava muito tempo tentando se lembrar do que acontecera — afinal, este era justamente o efeito terapêutico daquele tratamento: provocar uma amnésia parcial, de modo que o doente esquecesse o problema que o afligia, e permitir que ficasse mais calmo.

Entretanto, à medida que os eletrochoques eram aplicados com mais freqüência, seus efeitos não se faziam sentir por muito tempo; ele logo identificou a moça.

— Você falou das visões do Paraíso enquanto dormia — disse ela, passando a mão nos seus cabelos.

Visões do Paraíso? Sim, visões do Paraíso. Eduard olhou para ela. Queria contar tudo.

Neste momento, porém, uma enfermeira entrou, com uma injeção.

— Você tem que tomar agora — disse para Veronika. — Ordens do Dr. Igor.

— Já tomei hoje, não vou tomar nada — respondeu ela. — Tampouco me interessa sair deste lugar. Não vou obedecer nenhuma ordem, nenhuma regra, nada que quiserem me forçar a fazer.

A enfermeira parecia acostumada a este tipo de reação.

— Então, infelizmente, teremos que dopá-la.

— Eu preciso conversar com você — disse Eduard. — Tome a injeção.

Veronika levantou as mangas do suéter, e a enfermeira aplicou a droga.

— Boa menina — disse. — Por que não saem desta enfermaria lúgubre, e vão passear um pouco lá fora?

— Você está envergonhada pelo que aconteceu ontem à noite — disse Eduard, enquanto caminhavam pelo jardim.

— Já estive. Agora estou orgulhosa. Quero saber das visões do Paraíso, porque estive muito próxima de uma delas.

— Preciso olhar mais longe, para além dos prédios de Villete — disse.

— Faça isso.

Eduard olhou para trás, não para as paredes das enfermarias, ou para o jardim onde os internos caminhavam em silêncio — mas para uma rua num outro continente, numa terra onde chovia muito ou não chovia nada.

Eduard podia sentir o cheiro daquela terra — era o tempo da seca, e a poeira entrava pelo seu nariz e lhe dava prazer, porque sentir a terra é sentir-se vivo. Pedalava uma bicicleta importada, tinha dezessete anos, e acabara de sair do colégio americano de Brasília, onde todos os outros filhos de diplomata estudavam.

Detestava Brasília, mas amava os brasileiros. Seu pai tinha sido nomeado embaixador da Iugoslávia dois anos antes, numa época em que nem sequer sonhavam com a sangrenta divisão do país. Milosevic ainda estava no poder; homens e mulheres viviam com suas diferenças, e procuravam harmonizar-se além dos conflitos regionais.

O primeiro posto de seu pai fora exatamente o Brasil. Eduard sonhava com praias, carnaval, partidas de futebol, música — mas fora parar naquela capital, longe da costa, criada apenas para abrigar políticos, burocratas, diplomatas, e os filhos de todos eles, que não sabiam direito o que fazer no meio disso tudo.

Eduard detestava viver ali. Passava o dia enfurnado nos estudos, tentando — mas não conseguindo — relacionar-se com os colegas de classe. Procurando — mas não encontrando — uma maneira de interessar-se por carros, tênis da moda, roupas de marca, únicos temas de conversa entre os jovens.

Uma vez por outra havia uma festa, onde os rapazes ficavam bêbados de um lado do salão, e as moças fingiam indiferença do outro lado. A droga corria sempre, e Eduard já experimentara praticamente todas as variedades possíveis, sem jamais conseguir interessar-se por nenhuma delas; ficava agitado ou sonolento demais, e perdia o interesse pelo que estava acontecendo a sua volta.

Sua família vivia preocupada. Era necessário prepará-lo para seguir a mesma carreira do pai, e embora Eduard tivesse quase todos os talentos necessários — vontade de estudar, bom gosto artístico, facilidade em aprender línguas, interesse por política — faltava-lhe uma qualidade básica na diplomacia. Tinha dificuldades no contato com os outros.

Por mais que seus pais o levassem a festas, abrissem a casa para os seus amigos do colégio americano, e mantivessem uma boa mesada, eram raras as vezes que Eduard aparecia com alguém. Um dia sua mãe lhe perguntou por que não trazia seus amigos para almoçar ou jantar.

— Já sei todas as marcas de tênis, já conheço o nome de todas as meninas com quem é fácil fazer amor. Não temos mais nada de interessante para conversar.

Até que apareceu a brasileira. O embaixador e sua mulher ficaram mais tranqüilos quando o filho começou a sair, voltando tarde para casa. Ninguém sabia exatamente como ela tinha surgido, mas certa noite Eduard a levou para jantar em casa. A menina era educada, e eles ficaram contentes; o garoto finalmente

ia desenvolver seu talento na relação com estranhos. Além disso, ambos pensaram — mas não comentaram entre si — que a presença daquela garota tirava uma grande preocupação de seus ombros: Eduard não era homossexual!

Trataram Maria (este era seu nome) com a gentileza de futuros sogros, mesmo sabendo que em dois anos seriam transferidos para outro posto, e não tinham a menor intenção que seu filho casasse com alguém de um país tão exótico. Tinham planos para que seu filho encontrasse uma moça de boa família na França, ou na Alemanha, que pudesse acompanhar com dignidade a brilhante carreira diplomática que o embaixador estava preparando para ele.

Eduard, porém, mostrava-se cada vez mais apaixonado. Preocupada, a mãe foi conversar com o marido.

— A arte da diplomacia consiste em fazer o oponente esperar — disse o embaixador. — Um primeiro amor pode não passar nunca, mas sempre acaba.

Mas Eduard dava sinais de haver mudado por completo. Começou a aparecer em casa com livros estranhos, montou uma pirâmide no seu quarto, e — junto com Maria — acendiam incenso todas as noites, ficando horas concentrados num estranho desenho pregado na parede. O rendimento de Eduard na escola americana começou a cair.

A mãe não entendia português, mas podia ver a capa dos livros: cruzes, fogueiras, bruxas penduradas, símbolos exóticos.

— Nosso filho está lendo coisas perigosas.

— Perigoso é o que está acontecendo nos Balcãs — respondeu o embaixador. — Há rumores que a

região da Eslovênia quer a independência, e isto pode nos levar a uma guerra.

A mãe, porém, não dava a menor importância para política; queria saber o que estava acontecendo com seu filho.

— E esta mania de acender incenso?

— É para disfarçar o cheiro de marijuana — dizia o embaixador. — Nosso filho teve uma excelente educação, não deve acreditar que estes palitos perfumados possam atrair espíritos.

— Meu filho está envolvido em drogas!

— Isso passa. Eu também já fumei marijuana quando era jovem, e a gente logo enjoa, como eu enjoei.

A mulher ficou orgulhosa e tranqüila: seu marido era um homem experiente, tinha entrado no mundo da droga e conseguido sair! Um homem com esta força de vontade era capaz de controlar qualquer situação.

Um belo dia, Eduard pediu uma bicicleta.

— Você tem chofer e um Mercedes Benz. Para que uma bicicleta?

— Para o contato com a natureza. Maria e eu vamos fazer uma viagem de dez dias — disse. — Há um lugar aqui perto com imensos depósitos de cristal, e Maria garante que eles transmitem boa energia.

A mãe e o pai tinham sido educados no regime comunista: cristais eram apenas um produto mineral, que obedecia a determinada organização de átomos, e não emanavam nenhum tipo de energia — fosse ela positiva ou negativa. Pesquisaram, e descobriram que aquelas idéias de "vibrações de cristais" começavam a ficar em moda.

Se seu filho resolvesse falar sobre o tema numa festa oficial, podia parecer ridículo aos olhos dos outros: pela primeira vez, o embaixador reconheceu que a situação estava começando a ficar grave. Brasília era uma cidade que vivia de rumores, e logo saberiam que Eduard estava envolvido com superstições primitivas, seus rivais na embaixada podiam pensar que ele tinha aprendido aquilo com os pais, e a diplomacia — além de ser a arte de esperar — era também a capacidade de manter sempre, em qualquer circunstância, uma aparência convencional e protocolar.

— Meu filho, isso não pode continuar assim — disse o pai. — Tenho amigos no Ministério de Relações Exteriores da Iugoslávia. Você será um brilhante diplomata, e é preciso aprender a encarar o mundo.

Eduard saiu de casa e não voltou aquela noite. Seus pais ligaram para a casa de Maria, para os necrotérios e hospitais da cidade — sem nenhuma notícia. A mãe perdeu a confiança na capacidade de seu marido lidar com a família, embora fosse um excelente negociador com estranhos.

No dia seguinte Eduard apareceu, esfomeado e sonolento. Comeu e foi para o quarto, acendeu seus incensos, rezou seus mantras, dormiu o resto da tarde e da noite. Quando acordou, uma bicicleta novinha em folha o estava esperando.

— Vá ver os seus cristais — disse a mãe. — Eu explico para o seu pai.

E assim, naquela tarde de seca e poeira, Eduard dirigia-se alegremente para a casa de Maria. A cidade era tão bem desenhada (na opinião dos arquitetos) ou

tão mal desenhada (na opinião de Eduard) que quase não havia esquinas. Ele seguia pela direita, numa pista de alta velocidade, olhando o céu cheio de nuvens que não dão chuva, quando sentiu que subia em direção a este céu, a uma velocidade imensa — para logo a seguir descer e encontrar-se no asfalto.

PRAC!

"Sofri um acidente."

Quis virar-se, porque seu rosto estava grudado no asfalto, mas viu que não tinha mais controle sobre seu corpo. Ouviu o barulho de carros freando, gente que gritava, alguém que se aproximou e tentou tocá-lo — para logo ouvir um grito de "não mexa nele! Se alguém tocar, ele pode ficar aleijado para o resto da vida!".

Os segundos passavam devagar, e Eduard começou a sentir medo. Ao contrário dos seus pais, acreditava em Deus, e numa vida além da morte, mas mesmo assim achava injusto tudo aquilo — morrer com 17 anos, olhando o asfalto, numa terra que não era a sua.

— Você está bem? — escutava uma voz.

Não, não estava bem, não conseguia se mexer, mas tampouco conseguia dizer nada. O pior de tudo é que não perdia a consciência, sabia exatamente o que estava se passando, e no que se havia metido. Será que não ia desmaiar? Deus não tinha piedade dele, justamente num momento em que O procurava com tanta intensidade, contra tudo e contra todos?

— Já estão vindo os médicos — sussurrou outra pessoa, pegando sua mão. — Não sei se pode me ouvir, mas fique calmo. Não é nada grave.

Sim, podia ouvir, gostaria que esta pessoa — um homem — continuasse falando, garantisse que não era nada grave, embora já fosse adulto o bastante para

entender que sempre dizem isso quando a situação é muito séria. Pensou em Maria, na região onde havia montanhas de cristais, cheios de energia positiva — enquanto Brasília era a maior concentração de negatividade que conhecera em suas meditações.

Os segundos se transformaram em minutos, as pessoas continuam tentando consolá-lo, e — pela primeira vez desde que tudo acontecera — começou a sentir dor. Uma dor aguda, que vinha do centro de sua cabeça, e parecia se espalhar pelo corpo inteiro.

— Já chegaram — disse o homem que lhe segurava a mão. — Amanhã você vai estar de novo andando de bicicleta.

Mas no dia seguinte Eduard estava num hospital, com as duas pernas e um braço engessados, sem possibilidade de sair dali nos próximos 30 dias, tendo que escutar sua mãe chorando sem parar, seu pai dando telefonemas nervosos, os médicos repetindo a cada cinco minutos que as 24 horas mais graves já haviam passado, e não houvera nenhuma lesão cerebral.

A família ligou para a Embaixada Americana — que nunca acreditava nos diagnósticos dos hospitais públicos, e mantinha um serviço de urgência sofisticadíssimo, junto com uma lista de médicos brasileiros considerados capazes de atender seus próprios diplomatas. Vez por outra, numa política de boa vizinhança, usavam estes serviços para outras representações diplomáticas.

Os americanos trouxeram seus aparelhos de última geração, fizeram um número dez vezes maior de testes e exames novos, e chegaram à conclusão que

sempre chegavam: os médicos do hospital público tinham avaliado corretamente, e tomado as decisões certas.

Os médicos do hospital público podiam ser bons, mas os programas de TV brasileira eram tão ruins como os de qualquer outra parte do mundo, e Eduard tinha pouco o que fazer. Maria aparecia cada vez menos no hospital — talvez tivesse encontrado outro companheiro para ir com ela até as montanhas de cristais.

Contrastando com o estranho comportamento de sua namorada, o embaixador e sua mulher iam diariamente visitá-lo, mas recusavam-se a trazer os livros em português que ele tinha em casa, alegando que em breve seriam transferidos, e não havia necessidade de aprender uma língua que nunca mais teria necessidade de usar. Assim sendo, Eduard contentava-se em conversar com outros doentes, discutir futebol com os enfermeiros, e ler uma ou outra revista que lhe caía em mãos.

Até que um dia, um dos enfermeiros trouxe-lhe um livro que acabara de ganhar, mas que achava "muito grosso para ser lido". E foi neste momento que a vida de Eduard começou a colocá-lo num caminho estranho, que o conduziria a Villete, à ausência da realidade, e ao distanciamento completo das coisas que outros rapazes de sua idade iriam fazer nos anos que se seguiram.

O livro era sobre os visionários que abalaram o mundo — gente que tinha sua própria idéia do paraíso terrestre, e dedicara a sua vida para dividi-la com os

outros. Ali estava Jesus Cristo, mas também estavam Darwin, com sua teoria de que o homem descendia dos macacos; Freud, afirmando que os sonhos tinham importância; Colombo, empenhando as jóias da rainha para procurar um novo continente; Marx, com a idéia de que todos mereciam a mesma chance.

E ali estavam santos, como Inácio de Loyola, um vasco que dormira com todas as mulheres com quem pudera dormir, matara vários inimigos num sem número de batalhas, até ser ferido em Pamplona, e entender o universo numa cama onde convalescia. Teresa d'Ávila, que queria de todas as maneiras encontrar o caminho de Deus, e só conseguiu quando sem querer passeava por um corredor e parou diante de um quadro. Antonio, um homem cansado da vida que levava, que resolveu exilar-se no deserto e passou a conviver com demônios por dez anos, experimentando todo tipo de tentação. Francisco de Assis, um rapaz como ele, determinado a conversar com os pássaros e a deixar para trás tudo o que os seus pais tinham programado para a sua vida.

Começou a ler naquela mesma tarde o tal "livro grosso", porque não tinha nada melhor para se distrair. No meio da noite, uma enfermeira entrou, perguntando se precisava de ajuda, já que era o único quarto ainda com a luz acesa. Eduard dispensou-a com um simples aceno de mão, sem desgrudar os olhos do livro.

Os homens e mulheres que abalaram o mundo. Homens e mulheres comuns, como ele, seu pai, ou a namorada que sabia estar perdendo, cheios das mes-

mas dúvidas e inquietações que todos os seres humanos tinham nos seus cotidianos programados. Gente que não tinha um interesse especial por religião, Deus, expansão de mente ou nova consciência, até que um dia — bem, um dia tinham decidido mudar tudo. O livro era mais interessante porque contava que, em cada uma daquelas vidas, havia um momento mágico, que os fizera partir em busca da sua própria visão do Paraíso.

Gente que não deixou a vida passar em branco, e que, para conseguir o que queria, tinha pedido esmolas ou cortejado reis; rasgado códigos ou enfrentado a ira dos poderosos da época; usado diplomacia ou força, mas nunca desistindo, sempre sendo capaz de vencer cada dificuldade que se apresentava como uma vantagem.

No dia seguinte, Eduard entregou seu relógio de ouro para o enfermeiro que lhe dera o livro, pediu que o vendesse, e que comprasse todos os livros sobre o tema. Não havia mais nenhum. Tentou ler a biografia de algum deles, mas sempre descreviam o homem ou a mulher como se fosse um escolhido, um inspirado — e não uma pessoa comum, que devia lutar como qualquer outra para afirmar o que pensava.

Eduard ficou tão impressionado com o que lera, que considerou seriamente a possibilidade de tornar-se um santo, aproveitando o acidente para mudar sua vida de rumo. Mas estava com as pernas quebradas, não tivera nenhuma visão no hospital, não passara diante de um quadro que lhe sacudira a alma, não tinha amigos para construir uma capela no interior do planalto brasileiro, e os desertos estavam muito longe, cheios de problemas políticos. Mas ainda assim, podia

fazer algo: aprender pintura, e tentar mostrar ao mundo as visões que aqueles homens e mulheres tiveram.

Quando tiraram o gesso, e voltou para a Embaixada — cercado de cuidados, mimos, e todo tipo de atenção que um filho de embaixador recebe dos outros diplomatas, pediu a sua mãe que o inscrevesse num curso de pintura.

A mãe disse que ele já tinha perdido muitas aulas no Colégio Americano, e que era hora de recuperar o tempo perdido. Eduard recusou-se: não tinha a menor vontade de continuar aprendendo geografia e ciências.

Queria ser pintor. Num momento de distração, explicou o motivo:

— Preciso pintar as visões do Paraíso.

A mãe não disse nada, e prometeu conversar com suas amigas, para ver qual o melhor curso de pintura da cidade.

Quando o embaixador voltou do trabalho, aquela tarde, encontrou-a chorando em seu quarto.

— Nosso filho está louco — dizia, com as lágrimas correndo. — O acidente afetou o seu cérebro.

— Impossível! — respondeu, indignado, o embaixador. — Os médicos, indicados pelos americanos, o examinaram.

A mulher contou o que ouvira.

— É rebeldia normal da juventude. Espere e verá que tudo volta ao normal.

Desta vez, a espera não resultou em nada, porque Eduard tinha pressa em começar a viver. Dois dias depois, cansado de aguardar uma decisão das amigas de sua mãe, resolveu matricular-se num curso de pintura. Começou a aprender a escala de cores e perspectiva, mas começou também a conviver com gente que nunca falava de marca de tênis ou modelos de carro.

— Ele está convivendo com artistas! — dizia a mãe, chorosa, ao embaixador.

— Deixe o menino — respondia o embaixador. — Vai enjoar logo, como enjoou da namorada, dos cristais, das pirâmides, do incenso, da marijuana.

Mas o tempo passava, o quarto de Eduard se transformava num ateliê improvisado, com pinturas que não faziam o menor sentido para seus pais: eram círculos, combinações exóticas de cores, símbolos primitivos misturados com gente em posição de prece.

Eduard, o antigo rapaz solitário que em dois anos de Brasília nunca aparecera em casa com amigos, agora enchia sua casa com pessoas estranhas, todos eles mal vestidos, com cabelos desarrumados, escutando discos horríveis em volume máximo, bebendo e fumando sem qualquer limite, demonstrando total ignorância dos protocolos de bom comportamento. Certo dia, a diretora do Colégio Americano chamou a embaixatriz para uma conversa.

— Seu filho deve estar envolvido em drogas — disse. — O rendimento escolar dele está abaixo do normal, e se continuar assim não poderemos renovar sua matrícula.

A mulher foi direto para o escritório do embaixador, e contou o que acabara de ouvir.

— Você vive dizendo que o tempo ia fazer tudo voltar ao normal! — gritava, histérica. — Seu filho drogado, louco, com algum problema cerebral gravíssimo, enquanto você se preocupa com coquetéis e reuniões sociais!

— Fale baixo — pediu ele.

— Não falo mais baixo, nunca mais na vida, enquanto você não tomar uma atitude! Este menino precisa de ajuda, está entendendo? Ajuda médica! Vá e faça alguma coisa.

Preocupado com que o escândalo de sua mulher pudesse prejudicá-lo junto aos seus funcionários, e já desconfiado que o interesse de Eduard pela pintura estava durando mais tempo do que o esperado, o embaixador — um homem prático, que sabia todos os procedimentos corretos — estabeleceu uma estratégia de ataque ao problema.

Primeiro, telefonou para o seu colega, o embaixador americano, e pediu a gentileza de permitir o uso dos aparelhos de exame da Embaixada. O pedido foi aceito.

Procurou de novo os médicos credenciados, explicou a situação e solicitou que fosse feita uma revisão de todos os exames da época. Os médicos, temerosos que aquilo pudesse lhes render um processo, fizeram exatamente o que lhes foi pedido — e concluíram que os exames não apresentavam nada de anormal. Antes

do embaixador sair, exigiram que firmasse um documento, dizendo que, a partir daquela data, eximia a Embaixada Americana da responsabilidade de ter indicado seus nomes.

Em seguida, o embaixador foi ao hospital onde Eduard estivera internado. Conversou com o diretor, explicou o problema do filho, e solicitou que — a pretexto de um *check-up* de rotina — fizessem um exame de sangue para detectar a presença de drogas no organismo do rapaz.

Assim foi feito. E nenhuma droga foi encontrada.

Restava a terceira e última etapa da estratégia: conversar com o próprio Eduard, e saber o que estava acontecendo. Só de posse de todas as informações, poderia tomar uma decisão que lhe parecesse correta.

Pai e filho sentaram-se na sala de estar.

— Você tem preocupado sua mãe — disse o embaixador. — Suas notas diminuíram, e há risco de que sua matrícula não seja renovada.

— Minhas notas no curso de pintura aumentaram, meu pai.

— Acho muito gratificante seu interesse pela arte, mas você tem uma vida pela frente para fazer isto. No momento, é preciso terminar o curso secundário, para que eu possa encaminhá-lo na carreira diplomática.

Eduard pensou muito antes de dizer qualquer coisa. Reviu o acidente, o livro sobre os visionários — que afinal fora apenas um pretexto para encontrar sua verdadeira vocação — pensou em Maria, de quem nunca mais havia escutado falar. Hesitou muito, mas afinal respondeu.

— Papai, eu não quero ser diplomata. Eu quero ser pintor.

O pai já estava preparado para esta resposta, e sabia como contorná-la.

— Você será pintor, mas antes termine seus estudos. Arranjaremos exposições em Belgrado, Zagreb, Lubljana, Sarajevo. Com a influência que tenho, posso ajudá-lo muito, mas preciso que termine seus estudos.

— Se eu fizer isso, vou escolher o caminho mais fácil, papai. Vou entrar para qualquer faculdade, me formar em algo que não me interessa, mas que me dará dinheiro. Então a pintura ficará para segundo plano, e eu terminarei esquecendo minha vocação. Preciso aprender a ganhar dinheiro com pintura.

O embaixador começou a irritar-se.

— Você tem tudo, meu filho: uma família que o ama, casa, dinheiro, posição social. Mas você sabe, nosso país está vivendo um período complicado, há rumores de guerra civil; pode ser que amanhã eu já não esteja mais aqui para ajudá-lo.

— Eu saberei me ajudar, meu pai. Confie em mim. Um dia eu pintarei uma série chamada "As Visões do Paraíso". Será a história visual daquilo que homens e mulheres apenas experimentaram em seus corações.

O embaixador elogiou a determinação do filho, terminou a conversa com um sorriso, e resolveu dar mais um mês de prazo — afinal, a diplomacia é a arte

de adiar as decisões até que elas se resolvam por si mesmas.

Um mês passou. E Eduard continuou dedicando todo seu tempo à pintura, aos amigos estranhos, às músicas que deviam provocar algum desequilíbrio psicológico. Para agravar o quadro, tinha sido expulso do Colégio Americano, por discutir com a professora sobre a existência de santos.

Numa última tentativa, já que não dava mais para adiar qualquer decisão, o embaixador tornou a chamar o filho para uma conversa entre homens.

— Eduard, você já está em idade de assumir a responsabilidade de sua vida. Nós agüentamos enquanto foi possível, mas é hora de acabar com esta tolice de querer ser pintor, e dar um rumo à sua carreira.

— Meu pai, ser pintor é dar um rumo à minha carreira.

— Você está ignorando o nosso amor, os nossos esforços para dar-lhe uma boa educação. Como você nunca foi assim, só posso atribuir o que está acontecendo a uma conseqüência do acidente.

— Entenda que eu amo vocês mais do que qualquer outra pessoa ou coisa em minha vida.

O embaixador pigarreou. Não estava acostumado a manifestações tão diretas de carinho.

— Então, em nome do amor que você tem por nós, por favor, faça o que sua mãe deseja. Deixe por

algum tempo esta história de pintura, arranje amigos que pertençam ao seu nível social, e volte aos estudos.

— Você me ama, meu pai. Não pode me pedir isso, porque sempre me deu um bom exemplo, lutando pelas coisas que queria. Não pode querer que eu seja um homem sem vontade própria.

— Eu disse: em nome do amor. E eu nunca disse isso antes, meu filho, mas estou pedindo agora. Pelo amor que você tem a nós, pelo amor que nós temos a você, volte ao lar — não apenas no sentido físico, mas no sentido real. Você está se enganando, fugindo da realidade.

"Desde que você nasceu, nós alimentamos os maiores sonhos de nossas vidas. Você é tudo para nós: o nosso futuro e o nosso passado. Seus avós eram funcionários públicos, e eu precisei lutar como um touro para entrar e crescer nesta carreira diplomática. Tudo isto apenas para abrir espaço para você, tornar as coisas mais fáceis. Tenho ainda a caneta com que assinei o meu primeiro documento como embaixador, e guardei-a com todo carinho, para passar a você no dia em que fizer o mesmo.

"Não nos desaponte, meu filho. Nós não vamos viver muito, queremos morrer tranqüilos, sabendo que você foi bem encaminhado na vida.

"Se você nos ama realmente, faça o que estou pedindo. Se você não nos ama, continue com seu comportamento."

Eduard ficou muitas horas olhando o céu de Brasília, vendo as nuvens que passeavam pelo azul — belas, mas sem uma gota de chuva para derramar na

terra seca do planalto central brasileiro. Estava vazio como elas.

Se continuasse com sua escolha, sua mãe terminaria definhando de sofrimento, seu pai ia perder o entusiasmo pela carreira, ambos iam se culpar por falharem na educação do filho querido. Se desistisse da pintura, as visões do Paraíso nunca veriam a luz do dia, e nada mais neste mundo seria capaz de lhe dar entusiasmo e prazer.

Olhou a sua volta, viu seus quadros, relembrou o amor e o sentido de cada pincelada, e achou-os todos medíocres. Ele era uma fraude; estava querendo ser uma coisa para a qual nunca tinha sido escolhido, e cujo preço seria a decepção de seus pais.

As visões do Paraíso eram para os homens eleitos, que apareciam nos livros como heróis e mártires da fé no que acreditavam. Gente que já sabia desde criança que o mundo precisava deles — o que estava escrito no livro era invenção de romancista.

Na hora do jantar, disse aos seus pais que eles tinham razão: aquilo era sonho de juventude, e seu entusiasmo pela pintura também já havia passado. Os pais ficaram contentes, a mãe chorou de alegria e abraçou o filho; tudo havia voltado ao normal.

De noite, o embaixador comemorou secretamente sua vitória, abrindo uma garrafa de champanhe — que bebeu sozinho. Quando foi para o quarto, sua mulher — pela primeira vez em muitos meses — já estava dormindo, tranqüila.

No dia seguinte, encontraram o quarto de Eduard destruído, as pinturas destroçadas por um objeto cortante, e o rapaz sentado num canto, olhando o céu. A

mãe abraçou-o, disse quanto o amava, mas Eduard não respondeu.

Não queria mais saber de amor: estava farto desta história. Pensava que podia desistir e seguir os conselhos do pai, mas tinha ido longe demais no seu trabalho — atravessara o abismo que separa um homem do seu sonho, e agora não podia mais voltar.

Não podia ir nem para frente, nem para trás. Então, era mais simples sair de cena.

Eduard ainda ficou mais cinco meses no Brasil, sendo cuidado por especialistas, que diagnosticaram um tipo raro de esquizofrenia, talvez resultante de um acidente de bicicleta. Logo a guerra civil na Iugoslávia estourou, o embaixador foi chamado às pressas, os problemas se acumularam demais para que a família pudesse cuidar dele, e a única saída fora deixá-lo no recém-aberto sanatório de Villete.

Quando Eduard acabou de contar a sua história já era noite, e os dois tremiam de frio.

— Vamos entrar — disse ele. — Já estão servindo o jantar.

— Na minha infância, sempre que ia visitar minha avó, ficava contemplando um quadro em sua parede. Era uma mulher — Nossa Senhora, como dizem os católicos — em cima do mundo, com as mãos abertas para a Terra, de onde desciam raios.

"O que mais me intrigava neste quadro é que aquela senhora estava pisando uma serpente viva. Então eu perguntei a minha avó: 'ela não tem medo da serpente? Não acha que vai morder-lhe o pé, e matá-la com seu veneno?'

"Minha avó disse: a serpente trouxe o Bem e o Mal à Terra, como diz a Bíblia. E ela controla o Bem e o Mal com seu amor."

— O que isso tem a ver com a minha história?

— Como eu o conheci há uma semana, seria muito cedo para dizer: eu te amo. Como não devo passar desta noite, seria também muito tarde para dizer-lhe isso. Mas a grande loucura do homem e da mulher é exatamente esta: o amor.

"Você me contou uma história de amor. Acredito que, sinceramente, os seus pais queriam o melhor para

você e foi este amor que quase destruiu sua vida. Se a Senhora, no quadro da minha avó, estava pisando a serpente, isto significava que este amor tinha duas faces."

— Entendo o que você está falando — disse Eduard. — Eu provoquei o choque elétrico, porque você me deixa confuso. Não sei o que sinto, e o amor já me destruiu uma vez.

— Não tenha medo. Hoje, eu tinha pedido ao Dr. Igor para sair daqui, escolher o lugar onde queria fechar meus olhos para sempre. Entretanto, quando o vi sendo agarrado pelos enfermeiros, entendi qual a imagem que eu queria estar contemplando quando partisse deste mundo: o seu rosto. E decidi que não ia mais embora.

"Enquanto você estava dormindo pelo efeito do choque, eu tive mais um ataque, e achei que havia chegado a minha hora. Olhei seu rosto, tentei adivinhar sua história, e me preparei para morrer feliz. Mas a morte não veio — meu coração agüentou mais uma vez, talvez porque eu seja jovem."

Ele abaixou a cabeça.

— Não se envergonhe de ser amado. Não estou pedindo nada, apenas que me deixe gostar de você, tocar piano mais uma noite — se ainda tiver forças para isso.

"Em troca, só lhe peço uma coisa: se você ouvir alguém dizendo que estou morrendo, vá até a enfermaria. Deixe-me realizar meu desejo."

Eduard ficou em silêncio por um longo tempo, e Veronika achou que ele havia retornado ao seu mundo, para não voltar tão cedo.

Finalmente, olhou as montanhas além dos muros de Villete, e disse:

— Se você quiser sair, eu a levo lá para fora. Dê-me apenas tempo de pegar os casacos e algum dinheiro. Em seguida, nós dois vamos embora.

— Não vai durar muito, Eduard. Você sabe disso.

Eduard não respondeu. Entrou e voltou em seguida com os casacos.

— Vai durar uma eternidade, Veronika. Mais do que todos os dias e noites iguais que passei aqui, tentando sempre esquecer as visões do Paraíso. Quase as esqueci, mas parece que estão voltando.

"Vamos embora. Loucos fazem loucuras."

Naquela noite, quando se reuniram para jantar, os internos sentiram falta de quatro pessoas.

Zedka, que todos sabiam ter sido liberada após um longo tratamento. Mari, que devia ter ido ao cinema, como costumava fazer com freqüência. Eduard, que talvez ainda não tivesse se recuperado do eletrochoque — e ao pensar nisso, todos os internos ficaram com medo, e iniciaram a refeição em silêncio.

Finalmente, faltava a moça de olhos verdes e cabelos castanhos. Aquela que todos sabiam que não devia chegar viva até o final da semana.

Ninguém falava abertamente de morte em Villete. Mas as ausências eram notadas, embora todos procurassem se comportar como se nada tivesse acontecido.

Um boato começou a correr de mesa em mesa. Alguns choraram, porque ela era cheia de vida, e agora devia estar no pequeno necrotério que ficava na parte de trás do sanatório. Só mesmo os mais ousados costumavam passar por ali — mesmo assim durante o dia, com a luz iluminando tudo. Havia três mesas de mármore, e geralmente uma delas estava sempre com um novo corpo, coberto por um lençol.

Todos sabiam que esta noite Veronika estava lá. Os que eram realmente insanos logo esqueceram que

— durante aquela semana — o sanatório tivera mais um hóspede, que às vezes perturbava o sono de todo mundo com o piano. Alguns poucos, enquanto a notícia corria, sentiram uma certa tristeza, principalmente as enfermeiras que estiveram com Veronika durante as suas noites na UTI; mas os funcionários tinham sido treinados para não criar laços muito fortes com os doentes, já que uns saíam, outros morriam, e a grande maioria ia piorando cada vez mais. A tristeza desses durou um pouco mais, e logo também passou.

A grande maioria dos internos, porém, soube da notícia, fingiu espanto, tristeza, mas ficou aliviada. Porque, mais uma vez, o Anjo Exterminador havia passado por Villete, e eles tinham sido poupados.

Quando a Fraternidade se reuniu após o jantar, um membro do grupo deu o recado; Mari não tinha ido ao cinema — partira para não voltar mais, e deixara um bilhete com ele.

Ninguém pareceu dar muita importância: ela sempre parecera diferente, louca demais, incapaz de adaptar-se à situação ideal em que todos ali viviam.

— Mari nunca entendeu como somos felizes — disse um deles. — Temos amigos com afinidades comuns, seguimos uma rotina, de vez em quando saímos juntos para um programa, convidamos conferencistas para falar de assuntos importantes, debatemos suas idéias. Nossa vida chegou ao perfeito equilíbrio, coisa que tanta gente lá fora adoraria ter.

— Sem contar o fato de que, em Villete, estamos protegidos contra o desemprego, as conseqüências da guerra na Bósnia, os problemas econômicos, a violência — comentou outro. — Encontramos a harmonia.

— Mari me confiou um bilhete — disse aquele que tinha dado a notícia, mostrando um envelope fechado. — Pediu que o lesse em voz alta, como se quisesse se despedir de todos nós.

O mais velho de todos abriu o envelope e fez o que Mari pedira. Quis parar no meio, mas já era tarde demais, e foi até o final.

"Quando eu ainda era jovem e advogada, li certa vez um poeta inglês, e uma frase dele me marcou muito: 'seja como a fonte que transborda, e não como o tanque, que sempre contém a mesma água'. Sempre achei que ele estava errado: era perigoso transbordar, porque podemos terminar inundando áreas onde vivem pessoas queridas, e afogá-las com nosso amor e nosso entusiasmo. Então, procurei me comportar a vida inteira como um tanque, nunca indo além dos limites das minhas paredes interiores.

"Acontece que, por alguma razão que nunca entenderei, tive a Síndrome do Pânico. Transformei-me exatamente naquilo que lutara tanto para evitar: numa fonte que transbordou e inundou tudo ao meu redor. O resultado disso foi a internação em Villete.

"Depois de curada, voltei para o tanque, e conheci vocês. Obrigada pela amizade, pelo carinho, e por tantos momentos felizes. Vivemos juntos como peixes num aquário, felizes porque alguém jogava comida na hora certa, e nós podíamos, sempre que desejávamos, ver o mundo do lado de fora, através do vidro.

"Mas ontem, por causa de um piano e de uma mulher que deve já estar morta hoje, eu descobri algo muito importante: a vida aqui dentro era exatamente igual à vida lá fora. Tanto lá como aqui, as pessoas se reúnem em grupos, criam suas muralhas, e não deixam que nada de estranho possa perturbar suas medíocres existências. Fazem coisas porque estão acostumadas a

fazer, estudam assuntos inúteis, divertem-se porque são obrigadas a se divertirem, e que o resto do mundo se dane, se resolva por si mesmo. No máximo, assistem — como nós assistimos tantas vezes juntos — o noticiário da televisão, só para terem certeza do quanto são felizes, num mundo cheio de problemas e injustiças.

"Ou seja: a vida da Fraternidade é exatamente igual à vida de quase todo mundo lá fora — todos evitando saber o que se encontra além das paredes de vidro do aquário. Durante muito tempo isso foi reconfortante e útil. Mas a gente muda, e agora eu estou em busca de aventura — mesmo já tendo 65 anos, e sabendo as muitas limitações que esta idade me traz. Vou para a Bósnia: há gente que me espera ali, embora ainda não me conheça, e eu tampouco as conheço. Mas sei que sou útil, e que o risco de uma aventura vale mil dias de bem-estar e conforto."

Quando acabou a leitura do bilhete, os membros da Fraternidade saíram para os seus quartos e enfermarias, dizendo a si mesmos que ela tinha definitivamente enlouquecido.

Eduard e Veronika escolheram o restaurante mais caro de Lubljana, pediram os melhores pratos, embriagaram-se com três garrafas de vinho da safra de 88, uma das melhores do século. Durante o jantar não tocaram uma só vez em Villete, no passado, no futuro.

— Gostei da história da serpente — dizia ele, tornando a encher o copo pela milésima vez. — Mas sua avó era muito velha, não sabia interpretar a história.

— Respeite minha avó! — gritava Veronika, já bêbada, fazendo com que todos no restaurante se virassem.

— Um brinde à avó desta moça! — disse Eduard, levantando-se. — Um brinde à avó desta louca aqui na minha frente, que deve ter fugido de Villete!

As pessoas voltaram a prestar atenção nos seus pratos, fingindo que nada daquilo estava acontecendo.

— Um brinde à minha avó! — insistiu Veronika.

O dono do restaurante veio até a mesa.

— Por favor, comportem-se.

Eles ficaram mais calmos por alguns instantes, mas logo voltaram a falar alto, dizer coisas sem sentido, agir de maneira inconveniente. O dono do restaurante tornou a voltar à mesa, disse que não precisavam pagar a conta, mas que tinham que sair naquele minuto.

— Vamos economizar o dinheiro gasto com estes vinhos caríssimos! — brindou Eduard. — É hora de sair daqui, antes que este homem mude de idéia!

Mas o homem não ia mudar de idéia. Já estava puxando a cadeira de Veronika, num gesto aparentemente cortês, cujo verdadeiro sentido era ajudá-la a levantar-se o mais rápido possível.

Foram para o meio da pequena praça, no centro da cidade. Veronika olhou seu quarto do convento, e a embriaguez passou por um instante. Tornou a lembrar-se que ia morrer logo.

— Compre mais vinho! — pediu a Eduard.

Havia um bar ali perto. Eduard trouxe duas garrafas, os dois sentaram, e continuaram a beber.

— O que há de errado com a interpretação da minha avó? — disse Veronika.

Eduard estava tão bêbado, que foi preciso um grande esforço para lembrar-se do que dissera no restaurante. Mas conseguiu.

— Sua avó disse que a mulher estava pisando aquela cobra porque o amor tem que dominar o Bem e o Mal. É uma bonita e romântica interpretação, mas não é nada disso: porque eu já vi esta imagem, ela é uma das visões do Paraíso que eu imaginava pintar. Eu já tinha me perguntado por que sempre retratavam a Virgem desta maneira.

— Por quê?

— Porque a Virgem, a energia feminina, é a grande dominadora da serpente, que significa sabedoria. Se você reparar no anel de médico do Dr. Igor, verá que ele tem o símbolo dos médicos: duas serpentes

213

enroladas num bastão. O amor está acima da sabedoria, como a Virgem está sobre a serpente. Para ela, tudo
é Inspiração. Ela não fica julgando o bem e o mal.

— Sabe mais o quê? — disse Veronika. — A
Virgem nunca ligou para o que os outros estavam pensando. Imagine, ter que explicar a todo mundo a história do
Espírito Santo! Ela não explicou nada, só disse: "aconteceu assim". Sabe o que os outros devem ter dito?

— Claro que sei. Que ela estava louca!

Os dois riram. Veronika levantou o copo.

— Parabéns. Você devia pintar estas visões do
Paraíso, ao invés de ficar falando.

— Começarei por você — respondeu Eduard.

Ao lado da pequena praça, existe um pequeno
monte. Em cima do pequeno monte, existe um pequeno castelo. Veronika e Eduard subiram o caminho
inclinado, blasfemando e rindo, escorregando no gelo
e reclamando do cansaço.

Ao lado do castelo, existe uma grua gigantesca,
amarela. Para quem vai a Lubljana pela primeira vez,
aquela grua dá a impressão de que estão reformando o
castelo, e que em breve ele será completamente res-
taurado. Os habitantes de Lubljana, porém, sabem
que a grua está ali há muitos anos — embora ninguém
saiba a verdadeira razão. Veronika contou a Eduard
que, quando se pede às crianças do jardim de infância
para desenhar o castelo de Lubljana, elas sempre in-
cluíam a grua no desenho.

— Aliás, a grua está sempre mais bem conservada
que o castelo.

Eduard riu.

— Você devia estar morta — comentou, ainda sob o efeito do álcool, mas com a voz mostrando um certo medo. — Seu coração não devia ter agüentado esta subida.

Veronika deu-lhe um demorado beijo.

— Olhe bem para o meu rosto — disse ela. — Guarde-o com os olhos de sua alma, para que possa reproduzi-lo um dia. Se quiser, comece por ele, mas volte a pintar. Este é o meu último pedido. Você acredita em Deus?

— Acredito.

— Então você vai jurar, pelo Deus em que você acredita, que irá me pintar.

— Eu juro.

— E que, depois de me pintar, irá continuar pintando.

— Não sei se posso jurar isso.

— Pode. E vou lhe dizer mais: obrigada por ter dado um sentido a minha vida. Eu vim a este mundo para passar por tudo que passei, tentar suicídio, destruir meu coração, encontrar você, subir a este castelo, e deixar que você gravasse meu rosto em sua alma. Esta é a única razão pela qual eu vim ao mundo; fazer com que você retornasse ao caminho que interrompeu. Não faça com que eu sinta que minha vida foi inútil.

— Talvez seja cedo demais ou tarde demais, porém, da mesma maneira que você fez comigo, eu quero dizer: te amo. Não precisa acreditar, talvez seja uma bobagem, uma fantasia minha.

Veronika abraçou-se a Eduard, e pediu ao Deus, em que ela não acreditava, que a levasse naquele momento.

Fechou os olhos, sentiu que ele também fazia o mesmo. E o sono veio, profundo, sem sonhos. A morte era doce, cheirava a vinho, e acariciava seus cabelos.

Eduard sentiu que alguém lhe cutucava no ombro. Quando abriu os olhos, o dia começava a amanhecer.

— Vocês podem ir para o abrigo da prefeitura — disse o guarda. — Vão congelar, se continuarem aqui.

Em uma fração de segundo, ele lembrou-se de tudo que tinha se passado na noite anterior. Nos seus braços estava uma mulher encolhida.

— Ela... ela está morta.

Mas a mulher se mexeu, e abriu os olhos.

— O que está havendo? — perguntou Veronika.

— Nada — respondeu Eduard, levantando-a. — Ou melhor, um milagre: mais um dia de vida.

Assim que o Dr. Igor entrou no consultório e acendeu a luz — o dia continuava a amanhecer tarde, aquele inverno estava durando além do necessário — um enfermeiro bateu a sua porta.

"Começou cedo hoje", disse ele.

Ia ser um dia complicado, por causa da conversa com a garota. Preparara-se para isso durante toda a semana, e na noite anterior mal conseguira dormir.

— Tenho notícias alarmantes — disse o enfermeiro. — Dois dos internos desapareceram: o filho do embaixador, e a menina com problemas do coração.

— Vocês são uns incompetentes. A segurança deste hospital sempre deixou muito a desejar.

— É que ninguém tentou fugir antes — respondeu o enfermeiro, assustado. — Não sabíamos que era possível.

— Saia daqui! Tenho que preparar um relatório para os donos, notificar a polícia, tomar uma série de providências. E diga que não posso mais ser interrompido, porque estas coisas levam horas!

O enfermeiro saiu, pálido, sabendo que parte daquele grande problema terminaria caindo nos seus ombros, porque é assim que os poderosos agem com

os mais fracos. Com toda certeza, estaria despedido antes que o dia terminasse.

O Dr. Igor pegou um bloco, colocou em cima da mesa, e ia começar suas anotações, quando resolveu mudar de idéia.

Apagou a luz, deixou-se ficar no escritório precariamente iluminado pelo sol que ainda estava nascendo, e sorriu. Tinha conseguido.

Daqui a pouco tomaria as notas necessárias, relatando a única cura conhecida para o Vitríolo: a consciência da vida. E dizendo qual o medicamento que empregara em seu primeiro grande teste com os pacientes: a consciência da morte.

Talvez existissem outros medicamentos, mas o Dr. Igor decidira concentrar sua tese no único que tivera oportunidade de experimentar cientificamente, graças a uma menina que entrara — sem querer — em seu destino. Viera num estado gravíssimo, com intoxicação séria, e início de coma. Ficara entre a vida e a morte por quase uma semana, tempo necessário para que ele tivesse a brilhante idéia do seu experimento.

Tudo dependia de apenas uma coisa: da capacidade da menina sobreviver.

E ela conseguira.

Sem nenhuma conseqüência séria, ou problema irreversível; se cuidasse de sua saúde, poderia viver tanto ou mais que ele.

Mas Dr. Igor era o único que sabia disso, como sabia também que os suicidas frustrados tendem a

repetir seu gesto mais cedo ou mais tarde. Por que não utilizá-la como cobaia, para ver se conseguia eliminar o Vitríolo — ou Amargura — do seu organismo?

E o Dr. Igor concebera seu plano.

Aplicando um remédio conhecido como Fenotal, conseguira simular os efeitos dos ataques de coração. Durante uma semana, ela recebera injeções da droga, e devia ter ficado muito assustada — porque tinha tempo de pensar na morte, e de rever sua própria vida. Desta maneira, conforme a tese do Dr. Igor ("A consciência da morte nos anima a viver mais", seria o título do capítulo final do seu trabalho), a menina passou a eliminar o Vitríolo de seu organismo, e possivelmente não repetiria seu ato.

Hoje iria encontrar-se com ela, e dizer que, graças às injeções, tinha conseguido reverter totalmente o quadro dos ataques cardíacos. A fuga de Veronika lhe poupara a desagradável experiência de mentir mais uma vez.

O que Dr. Igor não contava era com o efeito contagiante de uma cura por envenenamento de Vitríolo. Muita gente em Villete ficara assustada com a consciência da morte lenta e irreparável. Todos deviam estar pensando no que estavam perdendo, sendo forçados a reavaliar suas próprias vidas.

Mari viera pedir alta. Outros doentes estavam pedindo a revisão dos seus casos. A situação do filho do embaixador era mais preocupante, porque ele simplesmente desaparecera — na certa tentando ajudar Veronika a fugir.

"Talvez ainda estejam juntos", pensou.

De qualquer maneira, o filho do embaixador sabia o endereço de Villete, se quisesse voltar. Dr. Igor estava entusiasmado demais com os resultados, para ficar prestando atenção a coisas pequenas.

Por alguns instantes, teve outra dúvida: cedo ou tarde, Veronika se daria conta de que não ia morrer do coração. Na certa, procuraria um especialista, e este lhe diria que tudo em seu organismo estava perfeitamente normal. Neste momento, ela acharia que o médico que cuidou dela em Villete era um incompetente total. Mas todos os homens que ousam pesquisar assuntos proibidos precisam de uma certa coragem, e uma dose de incompreensão.

Mas, e durante os muitos dias que ela teria que viver com o medo da morte iminente?

Dr. Igor ponderou longamente os argumentos, e decidiu: não era nada grave. Ela ia considerar cada dia um milagre — o que não deixa de ser, em se considerando todas as probabilidades de que ocorram coisas inesperadas em cada segundo de nossa frágil existência.

Reparou que os raios de sol já estavam se tornando mais fortes, o que significava que os internos, a esta hora, deviam estar tomando café da manhã. Em breve sua ante-sala estaria cheia, os problemas rotineiros voltariam, e era melhor começar a tomar logo as notas de sua tese.

Meticulosamente, começou a escrever o experimento de Veronika; deixaria para preencher mais tarde os relatórios sobre a falta de condições de segurança do prédio.

Dia de Santa Bernadette, 1998

Oh Maria concebida sem pecado, rogai por nós
que recorremos a Vós. Amém.

VERONIKA

DEMCO